OS SEGREDOS DOS CAMPEÕES

OS SEG

DOS CAMPEÕES

REDOS

ROBERTO SHINYASHIKI

Editora Gente

Editora
Rosely M. Boschini

Assistente editorial
Rosângela Barbosa

Produção
Marcelo S. Almeida

Preparação
Maria Cecília Caropreso

Revisão
Simone Zaccarias

Capa e projeto gráfico
Washington Leite

Diagramação
Join Bureau

Rua Pedro Soares de Almeida, 114
São Paulo, SP - CEP 05029-030
Telefone: (11) 3670-2500
Site: http://www.editoragente.com.br
E-mail: gente@editoragente.com.br

Dados Internacionais de Catalogação na Publicação (CIP)
(Câmara Brasileira do Livro, SP, Brasil)

Shinyshiki, Roberto
Os segredos dos campeões / Roberto Shinyashiki. – São Paulo : Editora Gente, 2007.

ISBN 978-85-7312-550-4

1. Auto-ajuda – Técnicas 2. Carreira profissional – Desenvolvimento 3. Objetivo (Psicologia) 4. Planejamento 5. Realização pessoal 6. Sucesso – Aspectos psicológicos I. Título.

07-3044 CDD-158.1

Índices para catálogo sistemático:

1. Sucesso na criação do futuro próprio : Psicologia aplicada 158.1

Ser um campeão não é superar o outro,
mas conseguir realizar os seus talentos
no nível mais alto da sua existência.

Dedico este livro ao meu amigo Dimitrios Markakis,

por ele estar sempre disposto a me orientar no processo

de eu me tornar um profissional cada vez melhor.

SUMÁRIO

PREFÁ

CIO

O LIVRO *VOCÊ: A ALMA DO NEGÓCIO* cresceu e quem ganhou foi você! Ele se tornou dois: o livro *Você: a alma do negócio* manteve o tema empreendedorismo e, agora, *Os segredos dos campeões* vai mostrar como criar uma carreira de sucesso.

O autor estudou e aprendeu muito desde a primeira edição do livro. Você vai ficar surpreso com as inovações desses temas.

Qual é o segredo dos campeões?

O que faz um profissional conseguir realizar suas metas quando tantas pessoas desistem?

Um talento extraordinário, uma entrega total e irrestrita?

Seria ainda muita dedicação e estudo, muita superação de seus próprios limites, uma mistura de dom e capacitação?

Qual é o segredo dos campeões?

Roberto Shinyashiki sabe que, além de garra e determinação, o campeão tem um objetivo bem definido, uma estratégia clara, trabalho consistente e muita competência superior.

Os campeões entram no jogo da vida com a própria vida. Vão inteiros, analisam a situação e arriscam tudo. Como você sabe, numa luta, vence aquele que tem mais competência e coloca a sua vida na mesa. A maioria dos escritores vai dizer que a garra resolve tudo, mas o nosso autor sabe que o comprometimento é fundamental, apesar de sozinho ser insuficiente. *Os segredos dos campeões* e a mensagem de Roberto, entretanto, ampliam e transcendem todas as demais.

Roberto Shinyashiki é um campeão. Conheço Roberto desde a infância, morávamos no mesmo bairro em Santos. Roberto superou-se, transformou-se e escreve como ninguém sobre campeões. Deu sua vida nesses estudos. Trabalhou com atletas olímpicos, grandes empresários, executivos maravilhosos, ajudou muitas organizações a realizarem suas metas. Desenhou sua carreira, sua reputação, sua vida, para acompanhar ombro a ombro a saga de centenas de pessoas campeãs. Roberto não escreve sobre o segredo dos campeões de ouvir falar, ou mesmo somente de estudos realizados por outros. Roberto viveu e vive essa pesquisa legítima da vida real.

Talvez, neste momento da sua vida, você esteja se sentindo perdido, porém é sempre importante lembrar que na trajetória de todo campeão acontecem derrotas, mas ele é diferente porque não se acomoda e tem a coragem de seguir adiante.

Os campeões se transformam. São mutantes. Sabem que, para continuar no pódio, precisam estar em constante mutação. Quando as coisas não estão acontecendo como planejado, eles sabem virar o jogo da vida.

Os campeões vencem o tempo se transformando, amadurecendo, construindo novos papéis ao longo de sua vida e carreira, observando novas oportunidades e criando competências para aproveitá-las.

Apesar da concorrência, as oportunidades vêm se multiplicando. No passado, os pódios eram poucos, para milhões de aspirantes. Hoje, centenas de categorias novas são criadas a cada dia. Os campeões estão atentos para dar o melhor de si numa especialidade cada vez mais particular. E chega a interatividade, a internet, a mobilidade. O mundo fala com o mundo, pessoas que jamais se encontrariam anos atrás criam negócios, se utilizam de sites de relacionamento para criar uma nova vida.

A grande notícia do século XXI é que você pode olhar para as competições que já existem e se preparar para elas. Porém, como nunca antes na história, você pode olhar também para áreas onde não existe nada, onde profissões estão para ser inventadas, onde negócios ainda vão existir, onde o esperam papéis diferentes e exclusivos, para você viver e ser o grande campeão neste imenso mundo novo de oportunidades.

Acima de tudo, ser o campeão de si mesmo.

Roberto Shinyashiki entende muito disso e tenho certeza de que ele vai ajudá-lo a pensar em novas possibilidades para a sua vida.

Boa viagem.

José Luiz Tejon

Jornalista e publicitário, é autor de *O vôo do cisne*, *O beijo na realidade* e *Liderança para fazer acontecer*

INTRO

SEMPRE QUE VEJO UMA PESSOA VENCENDO, minha primeira reação é aplaudi-la, pois sei o que está por detrás de uma vitória.

Para a maioria das pessoas, a visão de uma conquista é somente o momento do aplauso, mas um especialista em gente sabe que uma vitória é conseqüência de um objetivo bem definido, estratégia, muito trabalho e competência superior.

Quando você tem um objetivo bem definido, coloca toda a sua energia nele e o resultado dessa dedicação acaba aparecendo.

Osho conta que certa vez estava procurando um jardineiro para cuidar de suas flores.

Todo ano ele ia assistir a um concurso de rosas que existia em sua cidade natal e que premiava o criador do mais belo exemplar. Osho gostava de apreciar as flores, apesar de achar que a competição era injusta, pois o premiado era o dono do jardim e nunca o jardineiro. Havia um militar que sempre ganhava e Osho ficou curioso para saber quem era o seu jardineiro. Um ano, após ver o homem vencer mais um concurso, ele seguiu o militar até sua casa. O sujeito entrou com a sua rosa premiada sem ao menos cumprimentar o jardineiro. Osho resolveu conversar com o jardineiro para descobrir o seu segredo.

Comentou que a rosa dele havia ganho o primeiro lugar no concurso e o jardineiro nem deu atenção ao fato, pois disse que para ele o importante era cuidar das rosas e não saber o que acontecia com elas.

Então o jovem Osho perguntou qual era o seu segredo... E o jardineiro respondeu:

— O segredo é escolher o botão mais bonito e cortar todos os outros, porque a roseira tem uma quantidade limitada de seiva para os botões. Se eu deixar todos os botões, nenhum receberá a quantidade necessária de alimento para atingir todo o seu esplendor.

Em nossa carreira profissional pode acontecer o mesmo fenômeno: se você colocar a sua energia em várias carreiras ao mesmo tempo, seus esforços acabarão se dispersando e no final das contas você não os verá florescerem.

Por causa dessa dispersão, infelizmente eu tenho visto muitas pessoas transformando seus sonhos em pesadelos. Muitos jovens sonham com carros importados e casas luxuosas, mas no final das contas acabam andando mesmo é de ônibus. Aprenderam a sonhar, mas não aprenderam a criar os recursos necessários para criar suas vitórias.

Trabalham frustrados porque não sabem o que querem, não têm consistência em suas ações e vêem o trabalho como uma obrigação desagradável.

Nesses trinta anos de carreira, tenho trabalhado com muitos profissionais e tenho visto talentos se perderem por falta de foco: alguns não têm uma estratégia, outros não se importam em desenvolver suas competências e outros ainda não sabem trabalhar com dedicação.

Se atentarmos a esta última característica, perceberemos que o mundo do sucesso estimula a ilusão de que é possível ter sucesso sem trabalho. Resultado: muitas pessoas se frustram e outras acabam fazendo qualquer negócio para ter sucesso, e quando acordam percebem que foram usadas como uma jovem atriz pornô.

Certamente este livro vai frustrar aqueles que o procuram como uma receita mágica de sucesso. Não tem caminho fácil, não! Há caminhos objetivos, que evitam que você se distraia e se perca durante a caminhada, mas o caminhar é fundamental. Não se iluda: o único lugar onde o sucesso vem antes do trabalho é no dicionário.

É possível que um negócio transforme um adolescente num milionário em poucos anos de trabalho? Sem dúvida! Temos o exemplo de Edgard Nogueira, que aos 15 anos criou o site de busca chamado Aonde.com e que pode vir a embolsar aproximadamente 2 milhões de dólares, se quiser vendê-lo. Agora, é importante ter claro que na adolescência, quando os jovens da sua idade iam a todas as baladas ou usavam os computadores apenas para paquerar as garotas de escola, Edgard ficou pesquisando como se fazia um site de busca e, principalmente, varou inúmeras noites em claro para realizar isso. Também é importante ressaltar que, ao ser questionado pela revista *Época* sobre por que não vendia o site e embolsava o dinheiro, ele respondeu que queria se divertir com ele. Ou seja, para ele, trabalhar é divertido, dinheiro não é tudo.

Talvez você esteja passando por um período de insatisfação em sua carreira e querendo revolucionar sua vida, mas antes de tomar alguma decisão radical seria bom refletir sobre o seu sistema de realizar objetivos, para que assim a sua revolução tenha consistência.

Analise o sistema que os campeões utilizam em sua carreira, construa sua estratégia e principalmente coloque a mão na massa, porque o maior segredo dos campeões é que eles adoram fazer acontecer.

Todos nós merecemos ter uma profissão que nos enriqueça, nos dê muita alegria de viver e que transforme nossos esforços em realizações.

Todos nós merecemos as vitórias como conseqüência da nossa dedicação.

Torço para que a cada dia você seja mais feliz e que o seu esforço se transforme nos resultados que você merece.

Um grande abraço,

Roberto Shinyashiki

OS SEGRE
CAMP

DOS DOS
EÕES

QUANDO ANALISO A TRAJETÓRIA DOS CAMPEÕES em qualquer área de profissão, percebo que existe algo maior na maneira como eles vêem a organização de seu trabalho.

Alguns são extrovertidos como o Fernando Sherer da natação ou o Ronaldinho Gaúcho. Outros são calados como o Scheidt do iatismo ou o Rivaldo do futebol.

Alguns estimulam a gestão participativa, outros são centralizadores, querem saber de todos os detalhes. Alguns gostam de aparecer na imprensa e outros se escondem do público. Se pensarmos dessa maneira, poderemos imaginar que eles não têm nada em comum.

Observando tantas pessoas na realização de seus sonhos, deu para perceber que os campeões têm quatro características comuns.

Vamos apresentá-las resumidamente nesse início de conversa e depois nos aprofundaremos em cada uma delas.

A primeira delas é ter um objetivo bem definido. A pessoa põe uma idéia na cabeça e só sossega quando a realiza. Um belo exemplo de uma pessoa com essa característica é Carlos Nuzman, presidente do Comitê Olímpico Brasileiro, com quem tive a honra de trabalhar. Ele decidiu que quer ver o Brasil uma potência olímpica e só vai morrer quando esse sonho se tornar realidade. Cada um de seus dias é dedicado a pensar uma maneira de melhorar o esporte nacional. Diferentemente de muitos outros dirigentes esportivos, ele não enriqueceu à custa do esporte, mas a cada dia que passa ele enriquece o esporte nacional.

O comandante Rolim é outro exemplo de foco objetivo: ele decidiu que a Tam seria a melhor empresa aérea do Brasil, isso muitos anos atrás, quando a sua companhia tinha somente um avião bimotor. Todos os dias de sua vida ele trabalhou para realizar esse sonho. Seu rosto não carregava cansaço, apenas comprometimento com seu objetivo.

A segunda característica dos campeões é ter uma estratégia bem clara. Depois de determinar um objetivo, um campeão procura definir uma estratégia para transformar a sua meta em resultados. Ele não age por impulso nem desanima quando os resultados não são convincentes. Ele tem a noção do ritmo de suas realizações. Não fica dando voltas sem rumo, porque tem noção de que os problemas vão aparecer no meio do caminho e ele também tem inteligência para saber recuar quando preciso e avançar quando a oportunidade aparece.

Juscelino Kubitschek de Oliveira, o grande presidente do Brasil, tinha um foco inabalável: industrializar nosso país. E essa meta tinha uma estratégia bem clara, da qual fazia parte levar a capital do Brasil para o centro do país. Ele, então, com muito sacrifício, criou Brasília.

O técnico de voleibol Bernardinho Rezende tem um foco bem definido e uma estratégia claríssima. Todos que trabalham com ele compartilham e conhecem os mínimos detalhes de sua estratégia.

Muitas pessoas têm uma meta bem definida, mas não sabem como realizá-la. É como um empresário estabelecer uma meta de crescimento de 15% para sua empresa, mas não saber o que fazer para realizar esse objetivo.

Uma pessoa sem estratégia é uma presa fácil para o desânimo, porque ela vai ficar dando voltas pela vida até se cansar.

A terceira característica dos campeões é o trabalho consistente. Ele trabalha com alegria e comprometimento. Tem prazer em acordar e ir para a empresa, porque sabe que trabalhar é realizar sua missão de vida. É uma dádiva quando você encontra uma pessoa com esse prazer de trabalhar. É lindo ver a alegria da Hebe Camargo comandando seu programa anos a fio. Eu me lembro de uma vez em que eu estava em seu programa e um grupo de fãs queria forçar o cordão de isolamento para beijá-la. Ela foi até lá e pediu que os seguranças deixassem o pessoal passar. Beijou todo mundo e quando terminou o intervalo voltou correndo para o grupo de entrevistados, comentando: tem coisa melhor do que beijo de fã?

Ver a Hebe trabalhar é uma lição de vida...

A quarta característica é a competência superior. Esses profissionais sabem que, para realizar suas metas de vida, têm de evoluir sempre. Sempre mais. Eles não cansam de estudar. Procuram sempre estar cercados de gente competente para aumentar sua capacidade de realização.

Um belo exemplo que quero citar é o do presidente do grupo Accor, Firmin António. Ele é incansável. Participa dos grandes congressos. Lê muito o tempo todo. Está sempre procurando se aprimorar como profissional e como pessoa. Os membros de sua equipe se sentem desafiados por sua evolução. Ele quer sempre a empresa melhor.

Outra maneira de entender essas características é pensar que o objetivo profissional mostra o que a pessoa quer da vida; a estratégia mostra como; o trabalho consistente é o porquê; trabalhar é a forma de realizar sua missão de vida; e a competência superior são as habilidades necessárias para realizar seus objetivos.

Para entender essas características dos campeões, podemos usar a metáfora de um motorista de caminhão tendo de entregar uma carga. Um objetivo claro é como um endereço bem definido, que facilita a vida do motorista para levar o produto a seu destino. O motorista que não tem um destino definido acaba gastando energia desnecessariamente, e muitas vezes ele pára no meio do caminho. Bem, o seu motorista tem o endereço correto, agora ele precisa ter um plano para chegar lá. Motoristas que ignoram o caminho também dão voltas desnecessárias e gastam tempo sem saber como realizar sua meta. Bem, o nosso motorista conhece a meta, sabe o caminho e agora ele precisa gostar de trabalhar, senão não vai se comprometer com a tarefa. Ele tem o endereço, sabe como chegar lá, quer fazer isso, agora ele precisa ter competência para realizar o trabalho. Será que ele sabe dirigir uma carreta? Se não tiver competência, vai acabar batendo o caminhão e ficando no meio do caminho.

E você? Como você está em relação a sua profissão? Tem objetivos bem definidos? Tem um caminho para chegar lá? Está comprometido para fazer o que for preciso para obter sucesso em seu projeto? Tem competência para transformar seus sonhos em resultados?

Pare por alguns minutos e reflita sobre essas idéias. Veja o que precisa ser feito para que seus esforços se transformem em resultados. Sempre podemos evoluir e criar os recursos necessários para termos sucesso...

Agora que você refletiu sobre o tema, vamos aprofundar essas idéias.

capítulo

UM

TER UM OBJET

BEM DEFINIDO

IVO

UM

PARA QUEM NÃO SABE AONDE QUER CHEGAR, os ventos sempre atrapalham. Ou seja: uma pessoa sem um objetivo sempre acaba perdida, porque a vida vai levando-a, sem rumo. Um mestre zen disse certa vez: "Os objetivos fazem surgir as ações. Uma flecha atirada em um alvo vago não chega a seu objetivo".

Procure saber exatamente o que você quer e não tenha pena de gastar tempo determinando seus reais objetivos. As pessoas com objetivos claros sempre levam vantagem na carreira.

O filho de um amigo meu é um bom exemplo disso: passou no vestibular de Medicina. Era exatamente o que ele queria.

Nos primeiros anos de curso, porém, mesmo estudando muito, ele foi reprovado. Em vez de entregar os pontos, fez uma combinação consigo mesmo e a divulgou a um grupo de amigos: "Vou ter de estudar ainda mais, pois quero me formar médico". Veja que atitude de total determinação a dele: além de se comprometer consigo mesmo, ainda contou seus planos aos amigos, como se estivesse "prometendo" a eles uma vitória. Sua vontade de ser médico era tão objetiva que lhe permitiu forças extras para se dedicar ainda mais aos estudos. Passou um ano inteirinho indo raramente a baladas, saindo e paquerando pouco também, porque sabia que precisava superar uma competição fortíssima consigo mesmo. Para ele era "tudo ou tudo".

Desta feita, com objetivos claros em mente, a prova na qual ele fora reprovado, dificílima, foi superada e ele, por fim, está trilhando rumo sólido em direção à carreira que escolheu.

Conheço uma pedagoga que desde muito jovem queria ser prefeita de sua cidade. Nascida numa família humilde, ainda moça se viu face a face com os percalços da vida e, de uma hora para outra, tendo de sobreviver por conta própria. Seus pais, por questões financeiras, viram-se obrigados a voltar para o Rio de Janeiro, cidade de origem da família. Minha amiga, que trabalhava como recepcionista em um hotel, decidiu ficar porque queria ser prefeita da sua cidade. Além do mais, já fazia quase dez anos que ela trabalhava no hotel e gozava de grande carinho e conceito junto aos colegas e patrões.

Trabalhando exaustivamente durante o dia, estudava à noite em colégios públicos. Seus fins de semana eram dedicados a projetos sociais junto à comunidade pobre. Fez faculdade e cada vez mais se dedicava a projetos comunitários. Começou a ter participação política. Alguns anos atrás, foi eleita vereadora e se tornou uma das pessoas mais admiradas na cidade. Na verdade, ser prefeita foi uma forma de organizar seu objetivo de ajudar as pessoas mais necessitadas. Seu objetivo de vida é tão forte que lhe dá forças para fazer o que for preciso para superar todas as adversidades no meio do caminho.

São exemplos como esses que mostram a importância de ter um objetivo de vida claro e determinado para a pessoa se realizar na vida.

Em compensação, vejo muitas pessoas que não sabem o que querem da vida. Nestes tempos digitais, em que a informação está na ponta dos dedos, parece-me paradoxal essa situação, tendo em vista a facilidade de acesso à informação. É meio estranho que com tantos GPS tenhamos tantas pessoas perdidas na vida!

Elas estudam muito pouco e seus objetivos perdem, de longe, para o número de latinhas de cerveja que consomem em intermináveis noites de baladas. Sem pensar em sua autonomia, dormem demais, desperdiçam oportunidades, quando não destroem o cérebro sob o efeito danoso de drogas.

Nada realizam e na maioria das vezes ficam dando desculpas para seu fracasso. Este é um problema do mundo moderno: muitas pessoas assumem uma atitude de "tanto faz", e a vida lhes recompensa com resultados fracos. Como diria um amigo meu: "Quem planta 'tanto faz' colhe 'talvez'. Quem planta 'objetivo' colhe 'resultado'".

Os campeões têm seus objetivos bem definidos, e o simples fato de saberem o que querem da vida facilita suas realizações, pois não ficam dando voltas e mudando de idéia quando os obstáculos aparecem.

Um jovem que percebe que nasceu para ajudar o próximo terá muito mais facilidade em encontrar seu caminho, pois apontou sua atenção para suas inspirações, sem se deixar prejudicar pelas turbulentas distrações do mundo moderno.

Quando temos um objetivo, ficamos mais focados e não nos distraímos como a Branca de Neve da história infantil, andando perdida no meio da floresta.

É simples? Sim, e vou além. Quando se alcança esse foco, nossa atenção passa a não perceber acontecimentos periféricos. Como um médico comprometido com uma cirurgia não nota uma conversa do lado de fora da sala de cirurgia. O foco nos deixa atentos a qualquer acontecimento que pode nos levar a nosso objetivo. O atleta que tem um sonho olímpico não fica em dúvida entre treinar ou sair com os amigos. No momento em que o apelo da balada ficar forte, isso é sinal de que o sonho ficou fraco.

Quem tem um objetivo definido consegue fazer com que suas ações sigam uma orientação e, portanto, a probabilidade de sucesso se amplia infinitamente.

Conheço uma pessoa que tem uma filosofia de vida muito interessante. Ele faz uma analogia entre a vida e um veleiro que deve ser conduzido com conhecimento, força, direção e destino. Daí, imagina-se que nem sempre o mar está para peixe e muito menos para veleiros! Tempestades e calmarias, tubarões e rochas são comuns e, até certo ponto, conferem "graça" ao desafio.

Infelizmente muitas pessoas cometem erros na formulação de seus objetivos. Vejamos:

- *Falta de foco*

Alguns mudam de objetivos a cada ano, seja por falta de determinação, seja por descuido, ou mesmo por negligência, o que faz com que estejam sempre recomeçando. A capacidade de recomeçar é uma característica essencial nas pessoas, mas refiro-me aqui ao recomeço desnecessário, àquele causado pela falta de determinação.

Telma é uma pessoa muito talentosa e, além disso, uma guerreira. Mas tem um problema grave: toda hora está mudando de idéia a respeito do que quer fazer na vida. Cada vez que a encontro, ela vem com uma novidade! Fala como se tivesse encontrado o caminho definitivo, mas todo esse entusiasmo não dura nem seis meses. À medida que os problemas vão surgindo, ela desiste e fica procurando uma nova idéia. E embarca, tão logo apareça uma, em um ciclo interminável de recomeços em terrenos pantanosos. Vejo que essa amiga desiste sempre que percebe que vai precisar estudar, dar um pouco ou muito mais de si para alcançar seus objetivos. Explico melhor: ela é uma mulher de ação que não cultivou o exercício de pensar. Então, estudar e dar mais de si é, para ela, um suplício. Ela não aprendeu a gostar de estudar, o que seria, de longe, muito mais produtivo para sua carreira. Mais: por não ter a humildade para estudar, ela se encaixa perfeitamente na categoria de pessoas que, em sua grande maioria, corre o risco de trabalhar a vida inteira sem construir nada de concreto.

- *Incongruência entre os objetivos*

Outro problema se configura quando a pessoa tem objetivos incongruentes, que se anulam mutuamente.

É normal termos vários objetivos de vida, mas eles devem ser integrados, para que se potencializem. Descobrir, através do exercício do pensamento, se o objetivo A é congruente com o objetivo B é evitar caminhos espinhosos e que, invariavelmente, levam ao insucesso e a um ciclo de repetidos recomeços.

Marcos tinha dois objetivos: montar um restaurante no hotel do pai e morar na Inglaterra. Lógico que não ia dar certo, pois ele precisaria estar à frente do negócio se quisesse que o restaurante fosse realmente dele. Quando começou a investir no tal restaurante, eu perguntei se ele havia adiado o sonho de morar no exterior. Ele sorriu e respondeu: "Nunca!"

Naquele momento, ficou claro que um dos dois objetivos iria naufragar. Tempos depois, meu amigo se mudou para Londres e meses mais tarde amargou um enorme prejuízo com as instalações do restaurante, que nem sequer chegou a ser inaugurado.

Eu gosto do bom senso da mulher do meu sócio. Sua meta é ser promotora pública e ela estuda doze horas por dia para passar em um concurso bem difícil. Dia desses, meu sócio comentou que desejava ter filhos logo. Ela, com um sorriso carinhoso, pediu que ele esperasse, pois queria passar no concurso primeiro. Ela está certa. Essas metas não são definitivamente incongruentes, mas, numa extrema demonstração de bom senso, a mulher do meu sócio percebeu que é melhor dedicar toda a energia a somente uma das metas e depois, com mais tranqüilidade, inclusive no que diz respeito à qualidade de vida da criança, trazer filhos ao mundo.

Ela percebeu que os objetivos precisam ter uma hierarquia no tempo. Tentar realizar todos ao mesmo tempo é quase sempre o caminho mais curto rumo ao fracasso, mesmo porque, quando a pessoa se propõe a tocar vários projetos, invariavelmente esbarra na necessidade de contratar pessoas preparadas e comprometidas para ajudá-la, o que não é tarefa de curto prazo e, além do mais, acarreta aumento de investimento. É importante definir, com determinação, qual dos objetivos você pode realizar primeiro e quais serão possíveis, sempre numa ordem de, digamos, congruência. Isso, no entanto, não significa que um seja mais importante do que outro.

- *Não considerar a vocação na formulação dos objetivos*

A melhor maneira de definir seus objetivos é estruturá-los com base em sua vocação. Ronaldo, até pouco tempo atrás, queria ser ator. Atuava em um grupo de teatro amador, mas o teatro não era a sua vocação. Embora a arte fosse uma maneira de ele realizar sua criatividade, ele não era um ator talentoso. Atuava mal e, além do mais, não tinha energia nem vontade para se aprimorar. Resolveu, então, montar um restaurante. Acredito que nessa área ele tenha mais chances de ser bem-sucedido, pois tem uma ótima visão de negócio e, além do mais, gosta e sabe organizar jantares para toda a turma de amigos. O teatro ficou então como um ótimo *hobbie* para ele extravasar sua criatividade e admirável sensibilidade.

Muitas pessoas são infelizes e fracassam porque estão trabalhando longe de sua vocação, além de não cultivarem o exercício de pensar. Muitas vezes elas deixam escapar as boas oportunidades por não terem se preparado para navegar em águas turbulentas, que, ao final, sempre acabam por se acalmar, deixando-nos ver novos horizontes. Sim, as turbulências passam, mas para evitar a deriva você deve estar sempre com sua bússola apontada para a direção certa, tendo a certeza de que está preparado para guiar seu veleiro com firmeza e com base numa carta náutica bem definida.

Não importa se você está começando uma vida profissional ou se está fazendo uma revolução em sua carreira. O importante é organizar-se em torno de sua vocação, por isso vamos trabalhar para conhecê-la e trazê-la à tona. Tenha certeza de que você vai se surpreender com sua capacidade de navegação, força que a maioria de nós nem imagina possuir.

A DESCOBERTA DA SUA VOCAÇÃO

"O trabalho não é nada mais que a industrialização do *hobby*."

PAULO GAUDÊNCIO

Uma roseira é uma roseira, e tudo o que ela produz parte de sua essência de roseira. Eu não imagino uma orquídea angustiada por não produzir laranjas nem uma laranjeira infeliz porque não aparecem pêssegos entre suas folhas.

A felicidade profissional vem quando trabalhamos em algo que verdadeiramente tem a ver com nossa vocação. Quando não trabalhamos de acordo com nossa missão pessoal, ficamos irritados, de mau humor, entediados e, por conseqüência, não conseguimos servir a ninguém.

Um artista pode trabalhar como bancário, mas terá de ser "um bancário artístico" para não perder o amor à vida e ao trabalho. Se lutar contra sua essência e apagar sua sensibilidade, fará um grande mal a si próprio e, provavelmente, não conseguirá economizar dinheiro para se tornar artista 24 horas por dia.

Talvez você esteja com vontade de dizer que se sente frustrado porque precisa trabalhar com algo que não tem nada a ver com você mas garante o seu salário. Se isso não tem nada a ver com você, daqui a pouco vai acabar sendo demitido por falta de competência. Sabe por quê? Porque está trabalhando sem paixão, não sente desejo de estudar para se aprimorar e o seu resultado vai acabar comprometido.

O amor tem de vir em primeiro lugar mesmo que você esteja interessado em dinheiro. O respeito a sua vocação tem de ser total, e então todas as bênçãos virão em seguida.

Existe uma pesquisa realizada pelo professor Mark Albion e divulgada no livro *Making a Life, Making a Living* (Warner Business Books, 2000, ainda não publicado no Brasil) que ilustra claramente a importância do respeito à vocação e aos valores nas escolhas que uma pessoa faz ao longo da carreira.

Nela, 1.500 profissionais que haviam concluído o Master in Business Administration (MBA), vinte anos antes, nas melhores escolas americanas, relataram as prioridades em suas escolhas profissionais: 83% optaram pelo emprego em função do salário. Os 17% restantes optaram por aquilo que mais lhes dava prazer, independentemente da vida financeira.

Vinte anos depois, Albion foi verificar como estava a carreira desses profissionais. Dos 1.500, 101 tornaram-se milionários. Destes, apenas 1 pertencia ao grupo que fez sua escolha orientada pelo dinheiro, todos os demais viraram milionários trabalhando no que gostavam.

Certa vez, um fotógrafo de Niterói me contou uma história bem interessante:

Eu caminhava tranqüilamente, quando um ônibus subiu na calçada e me atropelou. Quando cheguei ao hospital, com uma dor brutal, escutava os enfermeiros perguntando entre si se eu iria sobreviver. Nesse momento, um grande desespero tomou conta de mim. Eu, que sempre vivi com medo de tudo, de andar de motocicleta, de jet ski, de escalar montanhas, estava correndo o risco de morrer por ter sido atropelado por um ônibus enquanto caminhava na calçada. Naquele momento, prometi a mim mesmo que, se eu sobrevivesse, não deixaria de fazer mais nada por causa do medo. Graças a Deus sobrevivi, e a primeira decisão que tomei foi pedir demissão do emprego, que não tinha nada a ver comigo. Então me tornei fotógrafo, profissão que realmente adoro. Ganho mais do que antes, porém o mais importante é que hoje eu sou um sujeito feliz.

Se você está frustrado com sua profissão, é chegada a hora de uma revisão de vida. Aproveite este momento para analisar qual é sua verdadeira vocação, seus talentos, e vá atrás de seu sonho. Talvez você precise de algum tempo para essa transição, mas não se abandone atrás de uma mesa, fazendo algo que não tem nada a ver com você, até chegar o "glorioso" dia da aposentadoria.

A maior parte das pessoas escolhe uma profissão por motivos que nada têm a ver com sua alma, com sua vocação. Alguns a escolhem pelo *glamour* que supõem existir em algum tipo de trabalho. Ser sociólogo, por exemplo, era o máximo na década de 1960. Já nos anos 1980, a moda era ser psicólogo. Nos anos 1990, o que dava *status* era ser publicitário.

Uma pessoa deve escolher uma profissão não pelo prestígio social que possa haver nessa atividade, mas por ser a preferência de sua alma.

A frustração chega quando a pessoa descobre que, com o *glamour*, vêm junto inúmeras tarefas aborrecedoras que somente aqueles com uma verdadeira vocação para essa profissão fariam com prazer. Por mais que escolha a profissão de acordo com sua vocação, haverá inúmeras tarefas difíceis de cumprir, mas que você realizará por amor e respeito à sua missão e às pessoas que dependem de sua competência.

Em qualquer profissão que escolhermos, a banana virá sempre com casca, e teremos de tirá-la. Ou seja, temos de aprender a curtir também o que há de desagradável naquela profissão. Se escolhermos bem, de acordo com nossa vocação, descascar a banana será tão gostoso quanto comê-la.

Há quem escolha determinada carreira para realizar os sonhos da família. Pode ser que o pai, na juventude, tenha tentado ser médico, mas, como não conseguiu realizar seu desejo, quer agora que o filho ou a filha siga essa carreira, custe o que custar. Pode acontecer também que o pai seja um poderoso empresário e queira que o filho perpetue seu negócio, mesmo que o garoto não tenha a mínima vocação ou habilidade para tocar a empresa!

Existem milhares de casos semelhantes, e é aí que começam os conflitos, sem que ninguém perceba o que está acontecendo de fato. O pai começa a achar que o filho é preguiçoso, e o filho, depois de tantas cobranças, acaba se convencendo de que sua vocação é trabalhar naquilo que o pai quer. Buscando a felicidade do pai, esse filho corre em alta velocidade para a frustração como profissional e, no fundo, como pessoa.

Quantos casos existem de filhos que eram irresponsáveis enquanto trabalhavam com os pais e que, ao irem para outra empresa, mudaram radicalmente de comportamento? Há também jovens que trocam de curso na faculdade e só então começam a se envolver de verdade com os estudos.

É muito melhor, nesses casos, uma conversa franca entre pai e filho. As vocações não são transferíveis. Cada caminhante tem o seu caminho. Mas só conseguiremos respeitar a vocação dos outros quando soubermos respeitar nossa própria vocação.

Há também aquelas pessoas que, por causa da crise econômica, escolhem uma carreira pensando em seu retorno financeiro. O que dá dinheiro? Informática, telecomunicações, tecnologia da informação? Poucas percebem que optar por uma profissão sem paixão é como se casar sem amor com alguém muito rico. Se já é trabalhoso ser fiel a uma vocação autêntica, a coisa fica muito pior quando não há vocação!

Por fim, existem aqueles que escolhem a carreira para evitar problemas. São os novos empresários, que pretendem montar um negócio porque não querem ter chefes. Logo descobrem que possuir um negócio próprio é transformar cada cliente num chefe. E, se não tinham capacidade para entender um, como poderão servir a cinqüenta?

Qualquer que seja sua idade, é sempre importante dar uma pausa na correria do trabalho para analisar se você está realizando sua vocação. Muitas pessoas fogem dessa reflexão com medo de descobrir que estão no caminho errado. Fazer uma mudança radical requer esforço, mas é melhor se esforçar para girar o barco no rumo do seu coração do que ter de se arrastar todos os dias para um trabalho que não tem nada a ver com você.

A CONSCIÊNCIA DO SEU OBJETIVO

Atenção: hoje em dia temos dois momentos de adolescência. Aquele dos 15 aos 21 anos e outro chamado de "maturescência", uma adolescência que o ser humano vive ao redor dos 50 anos. Nessa fase, ele se pergunta: o que eu quero fazer com a outra metade da minha vida? Como quero viver? Portanto, independentemente da sua idade, reflita com cuidado sobre o que você quer fazer com sua vida.

Como a maioria das decisões é tomada em momentos de rebeldia, quer seja na adolescência, quer seja no inconformismo assumido após os 40 anos, muitas vezes as pessoas definem aquilo que não querem da vida, mas sem ter clareza do que desejam.

Não querem, por exemplo, um trabalho que exija viagens, ou então detestam mexer com números, ou ainda não gostam de lidar com gente o dia inteiro. Mas eliminar opções não significa que você encontrou um caminho a seguir. Além de saber o que você não quer, é preciso definir onde está aquilo que você prefere: sua vocação. Se você fosse um jogador de futebol, a melhor maneira de descobrir sua vocação seria se perguntar: como vou me sentir melhor no jogo da minha vida: sendo um goleiro, um defensor ou um atacante?

Todos sabem que querer transformar um atacante em goleiro será um problema para o jogador, para o time e para toda a torcida! A pessoa precisa atuar onde se sente melhor e onde seus talentos possam ser usados plenamente. Isso não significa que o atacante não deva ajudar a defesa nem que o defensor não ajude o ataque, mas o importante é que cada um siga e desenvolva sua verdadeira vocação.

Para encontrar sua vocação, é preciso controlar a ansiedade e aprender a conhecer melhor a si mesmo. Na maior parte das vezes, quando oriento um executivo ou um empresário numa fase em que precisa redefinir suas prioridades, percebo que mal começo a responder a uma pergunta ele já está levantando outra questão. Nesse tipo de busca, escutar é algo importantíssimo para descobrir nossa real vocação, especialmente quando o que ouvimos aqui fora consegue despertar nossa voz interior.

Para avaliar a própria vida e encontrar novos rumos, é fundamental reservar alguns momentos para ficar em silêncio. Gilberto Gil canta numa de suas canções: "Se eu quiser falar com Deus, tenho que ficar a sós". Ele sabe que é preciso estar consigo mesmo para ouvir o Deus que existe em nosso interior. Devemos procurar um lugar silencioso, uma praia, talvez uma montanha, mas também pode ser nosso quarto, longe de revistas, livros, televisão, computador... Depois, precisamos ficar sentados ou caminhar para escutar essa voz interior, geralmente abafada pelas preocupações e correrias cotidianas.

Você é o único que pode criar esse tempo para pensar em sua vida. Não fuja de si mesmo. O grande encontro é com você. A pessoa que você precisa conhecer hoje é você mesmo, com sua alma, com suas reais preferências.

Se conseguir vencer a tentação de fugir, terá chance de se encontrar consigo mesmo. É um encontro solitário, mas extremamente gratificante. Nesse silêncio interior, começam a aparecer alguns arrependimentos, algumas lembranças do passado, e isso é ótimo! Significa que você já está de novo no caminho. É hora de quitar algumas dívidas consigo próprio e perceber que ainda há muito por fazer. Chegou o momento de ter uma conversa especial com sua consciência. E aí... Muita sinceridade, e boa sorte!

Quando você já conseguir se escutar, faça algumas reflexões. Que tal conhecer melhor suas idéias acerca do futuro? Vale a pena revisitar seus sonhos de adolescência. O que faltou para realizá-los? Será que eles ainda estão vivos dentro de você? O que gostaria de fazer de verdade na vida? Analise esses desejos independentemente das chances de torná-los realidade.

Na busca da vocação, é bom também conversar com outras pessoas, mas dê prioridade sempre a sua consciência. E não queira tomar decisões com rapidez. Deixe a decisão amadurecer. Não adianta, por exemplo, entrar precipitadamente numa faculdade para se arrepender dois meses depois. Há sempre um intervalo entre a conversa íntima e a tomada de decisão. É claro que podemos sentir angústias nesse meio-tempo. Por isso, paciência é fundamental. E, quando fizer sua escolha, saiba que ali começa uma longa caminhada.

Claro, não é apenas na hora de descobrir sua vocação que é preciso buscar dentro de si uma resposta. Há vários momentos especiais, profissionalmente falando, em que isso é necessário:

- Na hora de decidir em que empresa vai trabalhar.
- Na hora de optar entre um emprego e um negócio próprio.
- Na hora de avaliar como você deve se posicionar no mercado.

Muitos profissionais estruturam uma carreira simplesmente para ganhar dinheiro. Mas, se esse trabalho não realiza a alma desse profissional, o pior que pode lhe acontecer é o sucesso, pois ele terá de conviver com esse trabalho como se tivesse um cadáver amarrado às costas, e pelo menos por um bom tempo. Um tempo de grande desgaste e desperdício de vida.

Há também aquelas pessoas que aceitam trabalhar em um lugar de que não gostam só para ter um emprego garantido. Elas se esquecem de que, assim, estão deixando de atuar de acordo com sua vocação. Muitas vezes, quando se dão conta de que se dedicaram a um trabalho que não tem nada a ver com elas, já é tarde demais. A vida passou e elas já não dispõem de tempo para se dedicar ao que realmente movia sua alma.

Em geral, nossas decisões mais importantes nascem de uma análise de fatores externos, mas o essencial é que sejamos fiéis à nossa vocação, à voz interior que nos diz quem de fato somos e para que de fato servimos.

Após decidir para que lado devemos ir, começa a caminhada. Vários profissionais comentam comigo:

— Roberto, agora sei que estou vivendo minha vocação, mas o que ganho é muito pouco.

A resposta é que não basta você fazer somente o que gosta; é preciso traçar uma estratégia clara e que você seja competente no que faz. O importante é se capacitar, para que sua profissão lhe traga, além do prazer natural de cumprir sua missão, a tranqüilidade econômica decorrente de um trabalho realizado com o máximo de perfeição.

COMO ESTRUTURAR UM OBJETIVO DEFINIDO

Bem, agora que você está consciente de sua vocação, é importante investir um tempo para definir objetivos.

Lembre-se: um objetivo é diferente de uma intenção. Quando você diz que tem a intenção de ir para a praia no fim de semana, significa que existe uma possibilidade de isso acontecer, mas não uma certeza. A maioria das pessoas, quando fala de seus projetos profissionais, fala de intenções e não de metas.

Meta é um endereço claro com data determinada para um encontro consigo mesmo. Você se lembra bem da foto da sua formatura na faculdade, ou da sua promoção na empresa, ou da inauguração de um negócio seu? Quando você olha para a foto da realização de um objetivo, é inevitável sentir orgulho por seu trabalho.

Toda meta é um encontro consigo mesmo, e uma foto é o sinal de que você compareceu a esse encontro. Eu sempre gosto de pensar em meus objetivos como um encontro comigo mesmo. Na adolescência, eu era muito confuso e resolvi fazer uma psicoterapia para me ajudar a procurar respostas para a minha confusão. A psicoterapeuta que eu encontrei era sensacional: uma pessoa muito humana e uma profissional supercompetente. Cada sessão era um bálsamo para as minhas angústias de adolescente. À medida que o processo evoluía, eu não só fui vendo com mais clareza a minha vocação para ajudar as pessoas mas principalmente fui entrando em contato com a vontade de fazer o mesmo trabalho que eu estava recebendo. A paixão por ele foi se tornando tão grande, que depois de algum tempo ser um psicoterapeuta se tornou meu objetivo. A cada dia que passava eu ficava horas imaginando como seria a minha formação, ficava montando mentalmente meu consultório e, principalmente, me imaginava ajudando as pessoas a encontrar seu caminho. Tirar uma fotografia do meu consultório ficou sendo, para mim, um símbolo de que a minha meta teria sido realizada.

Os objetivos devem ser específicos, mensuráveis, realizáveis e ter um prazo determinado para serem concretizados. No caso do meu objetivo, determinei um prazo para eu ser um psicoterapeuta, para isso se realizar, mas, acima de tudo, eu tinha certeza de que era capaz de fazer acontecer.

Ter como objetivo algo inespecífico é carimbar um passaporte para o fracasso. Por exemplo, criar uma meta com a palavra "sucesso" é dispersar esforço, porque sucesso é algo inespecífico. Sucesso pode ser ganhar 100 mil reais anuais. Pode ser se formar jornalista. Pode ser muitas coisas e, quando você corre para vários lugares ao mesmo tempo, não chega a lugar nenhum.

Um objetivo definido cria uma visão do seu futuro.

O que é uma visão?

É uma imagem do nosso futuro que nos estimula a criá-la.

E você? Qual é o seu objetivo profissional? Gaste alguns minutos para defini-lo com clareza.

Dez regras para definir um objetivo de verdade:

1. Relacione tudo que você já fez e identifique se era um objetivo ou uma casualidade;
2. Faça um *brainstorm* de tudo que você deseja para sua vida;
3. Avalie o que é possível cumprir desses supostos objetivos;
4. Organize seus supostos objetivos por ordem de prioridade;
5. Escolha os objetivos e analise se eles são compatíveis entre si;
6. Descreva com detalhes cada objetivo;
7. Defina prazos, para saber se está alcançando cada um dos objetivos;
8. Coloque-os em prática desde já;
9. Colha os resultados;
10. Festeje muito.

A partir do momento em que você defini-lo, escreva-o em várias partes deste livro. Em vários dias da sua agenda. Assuma-o como você assume seu corpo. Afinal de contas, ele é um encontro com você mesmo!

Meu objetivo profissional é...

capítulo

DOIS

ESTRA

UMA FORMA DE CHEGAR AONDE VOCÊ QUER

TÉGIA

DOIS

OBJETIVO É O PRIMEIRO SEGREDO DOS CAMPEÕES. O neozelandês Edmund Hillary, o primeiro homem a escalar o Monte Everest, dizia que ele só tinha um objetivo em mente. Um só: escalar a montanha!

Ter um objetivo em mente é fundamental para a realização da pessoa, mas depois disso vem a segunda parte: montar a estratégia para viabilizar a realização desse objetivo. Significa pensar em tudo o que precisa ser feito, analisar as dificuldades, os meios disponíveis e possíveis para atingir o objetivo específico e focado. Se Hillary tivesse tentado escalar a montanha sem planejamento, com certeza teria morrido no meio do caminho. A sua história seria totalmente diferente. Em vez de glória, teríamos uma lição de luta imensa acabando em um final trágico.

No meu tempo de faculdade de Medicina, vários dos meus amigos tinham o mesmo objetivo: ser um grande médico. De verdade, só alguns alcançaram essa meta. Lógico que quase todos se formaram, mas dos que comentavam sobre seus objetivos poucos tinham uma estratégia para realizá-los. Eles simplesmente assistiam às aulas e ficavam à espera de que algo acontecesse para que seu objetivo desse certo. Alguns poucos tinham uma estratégia clara para realizar seus objetivos, os quais eram muito mais do que ser apenas médico. Eles desejavam se tornar grandes especialistas em uma disciplina; por isso, quando passavam para o segundo ano, já davam um jeito de fazer um estágio, procuravam ser monitores de uma disciplina durante o curso, para com isso abrir caminho para virem a se tornar assistentes do professor da disciplina na qual eles queriam ser especialistas, freqüentavam congressos nessas especialidades, liam os livros que os professores indicavam... Antes da formatura, já tinham claro qual programa de Residência Médica iriam fazer, estudavam muito para ser aprovados no concurso e conseguiam emprego em sua especialidade. Resumindo, iam plantando várias árvores ao mesmo tempo até que um dia o pomar ficava pronto.

Os outros, que não tinham uma estratégia, limitavam-se a esperar que o destino trouxesse seus objetivos de presente. Provavelmente seguem esperando até hoje, culpando o destino por não ter sido bom com eles.

Os campeões sempre têm uma estratégia para realizar seus sonhos!

Agora que você definiu seus objetivos profissionais, chegou a hora de construir um caminho para realizá-los. Chegou a hora de criar uma estratégia para fazer com que suas metas aconteçam.

Uma estratégia é um plano de ações para organizar, realizar e integrar seus objetivos profissionais.

Estratégia é um termo que vem da área militar e é muito usado para empresas e carreira. A palavra vem do grego *estrategos*: a arte do general, ou seja, o processo de tomar decisões para vencer uma batalha. No sentido militar, diz respeito a tudo que acontece antes do campo de batalha. Para os militares, montar uma estratégia envolve conhecer suas próprias forças e fragilidades, conhecer os inimigos, especialmente os comandantes, como eles planejam e tomam decisões na hora da batalha. Conhecer o lugar onde a batalha vai se realizar. Analisar todos esses aspectos e decidir suas ações. A partir dessa análise, ver o que o exército vai precisar montar, os equipamentos necessários e as possibilidades durante a batalha para realizar seu objetivo. A estratégia envolve, ainda, surpreender o inimigo e evitar surpresas desagradáveis.

Sem uma estratégia, aprendemos somente com os erros, e às vezes o preço é muito alto.

A IMPORTÂNCIA DE APRENDER A PLANEJAR

Como você deve estar percebendo, aprender a planejar é fundamental para criar uma boa estratégia. Ou seja, é analisar antes de agir. Infelizmente, a maioria das pessoas age de forma impulsiva, acaba se cansando muito e produzindo pouco.

Realizar um objetivo é como sair para uma viagem. Quando você sai para uma viagem, é fundamental um período de preparação. Definição das datas, reserva do bilhete de vôo, escolha dos hotéis, escolha das roupas adequadas, contatar amigos, montar o roteiro. Está certo que existem pessoas que fazem uma mochila e saem experimentando o que aparecer pela frente, mas elas correm riscos desnecessários.

Por exemplo, se a pessoa vier conhecer o Brasil, corre o risco de aterrissar em São Paulo e passar na cidade todos os dias da viagem, sem conhecer sequer as praias do litoral paulista, e depois voltar dizendo que o Brasil é igual às grandes cidades poluídas do mundo.

Experiência é fundamental, mas sem um planejamento estratégico adequado o velejador Amyr Klink jamais teria conseguido cruzar o oceano Atlântico em 100 dias num barco a remo, saindo da África e chegando a Salvador.

O tempo gasto em planejar economiza tempo na realização e principalmente evita desperdícios. Anos atrás, meu cunhado, um arquiteto, conversava comigo sobre uma casa que estávamos construindo. Eu estava dando pouca atenção ao trabalho de planejamento, dizia ele. Ele insistia para que eu analisasse profundamente o projeto, e em um determinado momento me disse o seguinte: "Roberto, analise muito bem o projeto, porque o papel é barato, mas as paredes são caras". Entendi a mensagem. Se eu quisesse mudar alguma coisa, seria mais fácil fazer isso durante o planejamento, pois eu gastaria somente o papel da impressora. Mas se eu decidisse mudar na fase de construção, teria de destruir e reconstruir paredes. Infelizmente eu vejo que muitos profissionais gastam muita energia e dinheiro levantando paredes, só para destruí-las no momento seguinte, num eterno recomeçar.

Uma estratégia definida torna mais fácil você arrumar recursos para implementá-la. Todos os tipos de recursos. Se você tiver de montar uma estratégia para trabalhar no exterior, vai poder estudar bem a língua do país onde deseja morar. Ao procurar emprego, pode mirar, de preferência, as empresas multinacionais com matriz no país que você escolheu se fixar. Quando estiver trabalhando nessa empresa, pode começar a ver se ela tem uma política de enviar seus colaboradores para fora, até você se sentir em condições de pleitear a mudança de país. Durante esse período de realização das ações de sua estratégia, você pode entrar em contato com a embaixada desse país, fazer amizades pela internet com pessoas que moram lá, conhecer seus costumes, tudo para poder se preparar melhor para essa mudança de vida.

Muitas pessoas reclamam que não conseguem atingir seus objetivos por não disporem dos meios necessários. Estratégia é exatamente a inteligência e a arte de explorar recursos e condições favoráveis com o fim de alcançar objetivos específicos. Mas lembre-se: nem sempre quem emprega mais recursos vence a guerra. Os Estados Unidos perderam a guerra para o Vietnã, um país sem armas de primeira linha, mas com uma estratégia sensacional, que deixou os soldados americanos com armas de última geração totalmente perdidos no campo de batalha.

No caso dos sobreviventes dos Andes, de 1972, em que um grupo de passageiros uruguaios, a maioria jogadores de rúgbi, sofreu um acidente aéreo na cordilheira dos Andes, os sobreviventes só se salvaram por causa da liderança de Nando Parrado. Ele montou uma estratégia para que ele e seu amigo Roberto Canessa saíssem numa jornada rumo a oeste, em direção ao Chile, em busca de socorro, debaixo de um frio de 30 graus negativos e utilizando-se da carne humana dos mortos como comida e fonte de energia para a travessia. Salvou a vida de catorze pessoas.

Tentar realizar um objetivo sem estratégia é como entrar num bingo e achar que vai sair de lá milionário. Se isso ocorrer, é loteria pura. Mesmo assim, se ganhar no bingo, você vai precisar de uma estratégia para poder fazer bom uso do dinheiro; do contrário, pode ter a mesma sorte dos milionários de loteria que, após um ou dois anos, acabam sem nada.

Estratégia visa diminuir o efeito do acaso. Representa dar chances aos "acasos certos", ou pelo menos aos mais prováveis.

A estratégia encurta os caminhos, estabelece as rotas de maior sucesso. Isso tudo exige esforço, concentração, estudo. Envolve muita humildade. Prestar atenção em quem já é campeão. Inspirar-se nos campeões. Procurar andar com campeões. Ouvir atentamente suas palavras. Observar seus exemplos.

A estratégia certa é aquela que reúne o melhor de você com o lado mais favorável do ambiente que o rodeia. A estratégia certa é aquela em que você utiliza o que tem à disposição para fazer acontecer. A estratégia certa faz o mundo girar a seu favor, e não contra você.

As funções da estratégia são definir a direção das ações planejadas, focalizar nosso esforço e criar uma identidade que serve como uma marca que torna especial, dá consistência a nossas decisões e aumenta a coerência das ações e intervenções.

De forma resumida, o planejamento de sua estratégia profissional começa com a análise do momento profissional que você está vivendo. Como você chegou aonde está hoje. Depois, definem-se os objetivos de vida, e então ela começa a desenhar um caminho para sair do presente e construir o futuro.

Minha sugestão é que você escolha um amigo que o ajude a pensar sua estratégia. Um amigo com quem você se sinta à vontade para compartilhar seus desejos e necessidades. Essa conversa vai ter quatro pontos. O primeiro é compartilhar os objetivos profissionais que você escolheu no capítulo anterior. O segundo ponto é falar da sua situação atual. O que você gosta e o que não gosta. O que funciona e não funciona. O que está de acordo com seus objetivos e o que não está — por exemplo, você quer ser um engenheiro mas trabalha em um restaurante. Depois discutam as ações que é preciso implementar para levá-lo de onde você está hoje para aonde quer chegar. Pense nas competências que precisa desenvolver para realizar seu objetivo — você precisa saber falar inglês se quiser ser transferido para a matriz, que fica na Inglaterra. E por último: escrever um plano de trabalho para realizar seu objetivo.

Estratégia também pode ser entendida como encontrar uma posição entre seus concorrentes e descobrir uma forma específica de fazer as coisas.

Você está dando à luz um profissional especial no mercado de trabalho. Nesse sentido, a estratégia é um processo de criação de você no futuro. Os teóricos chamam esse trabalho de posicionamento. O cantor Roberto Carlos se iniciou no rock, mas com o tempo se tornou um cantor romântico. Ir a um show dele significa se emocionar romanticamente. Em outra época, esperávamos guitarras em suas apresentações, não violinos. Hoje as guitarras aparecem menos do que os violinos. E ninguém reclama, porque todos esperam um som romântico

Para deixar mais claros esses conceitos, vamos explicitar melhor. Planejar é o trabalho de pensar, analisar e decidir. Estratégia é o resultado desse planejamento, por isso podemos chamá-lo de plano estratégico.

Como disse anteriormente, quando entrei na faculdade de Medicina eu queria ser um grande psicoterapeuta, tinha sentido os benefícios desse trabalho em mim mesmo e decidi que isso era o que eu queria fazer na vida. Logo percebi, no entanto, que precisaria ganhar dinheiro com outra atividade, pois, como os psicoterapeutas em início de carreira não são tão bem remunerados, o trabalho em psicoterapia não me possibilitaria pagar minhas contas. Passei em um concurso para fazer parte de uma equipe cirúrgica com o objetivo de ganhar meu dinheiro, mas em momento algum pensei em abandonar a psicoterapia para me tornar cirurgião.

Eu já tinha um objetivo determinado, agora era planejar como iria realizar esse desejo. Em nossa linguagem, planejar uma estratégia.

Desenhei mentalmente todas as habilidades de que eu iria precisar para realizar meu sonho. Queria saber psiquiatria clínica, então comecei a estagiar em um hospital psiquiátrico. Queria trabalhar com psicoterapia dinâmica, então comecei a fazer alguns cursos de especialização. Sempre acreditei que precisamos ter a cabeça boa para poder ajudar os outros, então nesses anos submeti-me a uma terapia. Queria ser médico, então procurei me formar um bom médico. À medida que fui colocando minha estratégia em ação, descobri outras ações que precisavam ser desenvolvidas. Vi que os melhores profissionais da minha área estavam nos Estados Unidos, então dei um jeito de ir estudar com eles. Vi que os bons profissionais ofereciam supervisão, então consegui ser orientados por eles.

Cada ação, durante essa época, fazia parte dessa estratégia bem estruturada. Houve outros cursos interessantes, mas eu só tomava conhecimento deles, sem me distrair da minha estratégia. Quando olho para trás, percebo que ter tido o cuidado de estruturar meus objetivos foi fundamental para as minhas realizações profissionais.

A estratégia é um processo que deve envolver mais pessoas porque, quando você tem a coragem de debater suas metas e estratégias com os outros, eles podem enriquecer o seu projeto. Tempos atrás, eu preparava um projeto de pesquisa para o meu doutorado. Antes de escrevê-lo, conversei com vários especialistas. Cada um fez críticas e deu sugestões. Só depois de analisá-las, sentei com minha orientadora para definir o projeto.

A estratégia deve ser transformadora, porque objetivos ambiciosos exigem transformação na vida do profissional. A pessoa neurótica é aquela que faz as mesmas coisas sempre e espera resultados diferentes. Nesse sentido, pensar uma estratégia é pensar em novos aprendizados.

Quando se traçam estratégias, deve-se sempre analisar as interferências que elas vão provocar na vida das pessoas que se relacionam com você. Portanto, deve-se avaliar essas interferências e negociá-las com os envolvidos. Se você decidir fazer um MBA, vai ter de dedicar muito tempo aos estudos, portanto menos tempo à família. Talvez seja necessário faltar à empresa um dia por semana. Não adianta agir como se nada fosse mudar, pois à medida que o curso avançar seu chefe vai perceber que você se ausenta da empresa todas as quartas-feiras. A família vai perceber que nos fins de semana você fica estudando em vez de sair com eles. Encrencas à vista!

A ANÁLISE DOS RECURSOS

Outro ponto fundamental para definir a estratégia é pensar nos recursos de que você vai precisar. Precisar de dinheiro para montar seu restaurante talvez faça você trabalhar mais algum tempo como gerente financeiro da empresa. Recursos também são as pessoas que podem ajudar nesse empreendimento. Talvez sejam necessários recursos tecnológicos. Você vai precisar de um bom computador se quiser se tornar um *web designer*. Tempo é outro recurso importante. Precisei de muito tempo para fazer minhas pesquisas para a pós-graduação.

Como eu disse no capítulo anterior: quando estruturei minha estratégia para me tornar um grande psicoterapeuta, eu me dei conta de que iria precisar de dinheiro para essa formação, que eu fui buscar na cirurgia.

Certamente ter vivenciado as experiências de vida e morte em um centro cirúrgico foi muito importante para o meu amadurecimento profissional, ou seja, sempre é possível aprender alguma coisa especial quando se está aberto para a vida, mas atuar como cirurgião foi somente uma forma de eu arrecadar recursos para realizar o meu sonho.

Um ponto especial para você ter em mente sobre sua estratégia é estar o tempo todo se aprimorando à medida que você avalia seus resultados e observa as mudanças no mundo dos negócios, especialmente no que diz respeito a ameaças.

Para que a estruturação de sua estratégia seja consistente, é interessante fazer uma análise SWOT. Esse nome significa *strengths*, *weaknesses*, *opportunities* e *threats*. Traduzindo: forças, fraquezas, oportunidades e ameaças. Como fazer isso? Escreva seus pontos fortes, seus pontos fracos, suas oportunidades no mercado de trabalho e ameaças.

Conhecer esses aspectos é importante para você desenvolver uma estratégia adequada, pois com base nessa análise você vai descobrir maneiras de usar seus pontos fortes, corrigir seus pontos fracos, aproveitar as oportunidades e se defender das ameaças ou destruí-las.

Por exemplo, sua meta é se tornar o diretor de *marketing* da empresa e na análise SWOT você percebe que seu ponto forte é o conhecimento de *marketing*, mas seu ponto fraco é a falta de espírito de liderança. A grande oportunidade é que a empresa está crescendo e a ameaça é o presidente estar em busca de um diretor experiente e poder querer contratar alguém de fora da organização.

O monitoramento de sua estratégia é muito importante. Ao implementá-la, certamente ocorrerão imprevistos. Por mais que você seja uma pessoa organizada, a vida não é nada organizada e previsível, e muitas coisas podem acontecer fora dos planos, como a doença de uma pessoa querida da família. Nesses momentos, é importante responder a esses chamados da vida, mas procurando manter-se o máximo possível em sua rota. Pode haver também situações em que sua estratégia fica superada e é preciso refazê-la. Procure sempre observar o que os profissionais mais competentes em sua área estão fazendo. Analisar os resultados que você está obtendo com suas respostas. Ver se sua evolução profissional e pessoal está acompanhando seus objetivos.

As regras de uma boa estratégia:

1. Sempre pense em seu objetivo;
2. Faca uma análise SWOT de seu momento profissional: seus pontos fortes e fracos. Analise oportunidades e ameaças;
3. Defina que caminhos poderão levá-lo ao seu objetivo;
4. Relacione as ações que pode colocar em prática para atingir seu objetivo;
5. Analise se as ações definidas são coerentes;
6. Escolha as principais ações e organize-as na ordem cronológica em que devem acontecer;
7. Identifique quem poderá ajudá-lo a colocar em prática todas as ações;
8. Coloque as ações em prática já, com um trabalho muito consistente;
9. Avalie se os resultados estão sendo alcançados e faça ajustes, se necessário;
10. Comemore os resultados.

Agora escreva, para você ter clareza da sua estratégia:

Planejamento estratégico:

Ações

1. ____

2. ____

3. ____

4. ____

5. ____

6. ____________________

7. ____________________

8. ____________________

9. ____________________

10. ____________________

TR
CONS

capítulo

TRÊS

ABALHO ISTENTE

TRÊS

"Todos querem ganhar medalhas de ouro, mas poucos querem treinar na intensidade necessária para conquistá-las."

MARK SPITZ

(Maior medalhista da história dos jogos olímpicos)

TRABALHAR É PÔR OS OBJETIVOS PARA ANDAR. É materializar seus sonhos. É dar alma a sua estratégia. Spitz tem razão: somente quem está disposto a batalhar pelo sonho tem direito de realizá-lo.

A vida é curta, portanto todos devem aprender a trabalhar com prazer. Trabalhar é muito gostoso para quem descobre o sentido do trabalho em sua vida.

Temos de aprender a nos divertir no trabalho. Muitos acreditam que pessoas que trabalham com alegria são profissionais irresponsáveis. Isso é mentira: as pessoas que trabalham sem prazer é que acabam se desconcentrando, pois ficam pensando em outras coisas enquanto trabalham. Quem trabalha com alegria contagia o ambiente com seu entusiasmo e se torna um dos profissionais mais criativos da organização.

Eu fico triste quando vejo quantas pessoas desperdiçam a vida por não compreenderem todo o prazer que o trabalho pode proporcionar ao ser humano.

Na verdade, quando uma pessoa faz graça dizendo que se ganhasse na loteria demitiria o chefe na hora ou iria para uma praia bem distante, para não precisar nunca mais trabalhar, para mim isso é sinal de que sua vida está bem frustrante.

As pessoas que não trabalham felizes acabam se tornando profissionais pessimistas, ranzinzas e muitas vezes sem espírito de equipe!

Nunca vi um profissional de verdade reclamar de seu trabalho, muito menos da empresa. Pode até comentar que está precisando de umas férias, que está precisando de umas boas noites de sono. Mas para ele o trabalho é uma fonte inestimável de prazer e realização.

Os grandes campeões treinam de forma intensa porque têm prazer tanto na preparação quanto na realização de seus sonhos. Os músicos sensacionais, os melhores professores, advogados, médicos, enfim, todo profissional que se destaca é aquele que ensaia, treina, estuda muito. Se você está começando uma carreira profissional, um belo conselho é aprender a desfrutar todo o tempo de trabalho. É muito gostoso aprender, construir um mundo diferente e, principalmente, sentir como é precioso o ar que respiramos.

O SUCESSO E O TRABALHO

> "Vocês trabalham para acompanhar o ritmo da terra e da alma da terra. Pois ficar ocioso é tornar-se um estranho para as estações e abandonar o cortejo da vida, que marcha em majestade e submissão orgulhosa em direção ao infinito."
>
> KAHLIL GIBRAN

Hoje em dia fala-se muito de sucesso, mas pouco de trabalho. Quando o sucesso é separado do prazer de construir, ele é sempre temporário.

Para muita gente, trabalho e sucesso são coisas desvinculadas. Muitas pessoas acreditam que o sucesso acontece por si só. Estão mais preocupadas em atingir o sucesso do que em usufruir o prazer de trabalhar. Na verdade, sentem certo desprezo pelo trabalho.

De uma vez por todas, precisamos deixar claro que o sucesso é conseqüência do trabalho. Não apenas do trabalho duro, mas especialmente do trabalho bem-feito!

Essa distorção da visão do sucesso faz parte da distorção da imagem que se tem do trabalho. Por isso muitos jovens profissionais vivem obcecados em comprar, na primeira oportunidade, um carro de último tipo, em vez de investir, por exemplo, numa pós-graduação. Preferem comprar um relógio sofisticado a usar o dinheiro para fazer um curso de inglês que possa ajudá-los a crescer profissionalmente. Não percebem que a pós-graduação e o inglês, além de lhes trazerem muitos carros e relógios no futuro, são uma forma de desenvolver sua inteligência e capacidade de trabalhar melhor.

O roqueiro inglês David Bowie respondeu da seguinte maneira a um jornalista que lhe perguntou como se sentia por fazer tanto sucesso:

"Quem realmente curte o nosso sucesso são os fãs. Para nós o mais excitante é o trabalho".

Desvincular sucesso de trabalho gera decepções no jovem que conquistou seu primeiro emprego. Muitas vezes ele, por exemplo, quer ser médico porque considera que essa profissão lhe trará uma carreira de sucesso. Sonha com o *glamour* de ser médico, de usar roupa branca e se sentir importante. Mas, quando começa a trabalhar para valer, percebe que ser importante para alguém significa atendê-lo no meio da noite, às vezes sair correndo da festa de aniversário do filho para atender a uma emergência ou ainda conversar com pessoas angustiadas que muitas vezes não reconhecem seu sacrifício.

O mesmo acontece numa agência de publicidade. Embora a maioria das pessoas encare o trabalho do publicitário como uma atividade em que basta apenas ter criatividade e o veja cercado de gente bonita por todos os lados e ganhando rios de dinheiro, muitas vezes o profissional terá de atravessar noites acordado para finalizar uma campanha, além de lidar com clientes inseguros, e por isso mesmo muitas vezes agressivos, que farão parte de sua rotina. Somente quando o profissional aprender a encarar com naturalidade esses problemas é que seu trabalho vai de fato recompensar toda a sua dedicação.

O verdadeiro pintor não curte apenas o quadro finalizado, mas adora cada momento em que trabalha com o pincel para realizá-lo. O jornalista satisfeito não fica feliz apenas quando sua reportagem é publicada, mas gosta de escolher cada palavra que confere precisão e clareza ao texto.

Esse é o melhor caminho para viver como parceiros de Deus e poder, no sétimo dia, contemplar com alegria um trabalho feito com o máximo de perfeição. Se você perder a dimensão de que o trabalho é o caminho da criação de um mundo melhor, cada vez mais ele se tornará apenas um modo de ganhar dinheiro. E o seu trabalho, por mais que lhe traga bens materiais e segurança financeira, com toda a certeza será empobrecedor.

Sucesso é a conclusão de um percurso repleto de trabalhos bem-feitos, condição necessária para o próprio sucesso. Ninguém chega a lugar nenhum sem ter percorrido esse caminho. Infelizmente, a humanidade está tão preocupada com o ponto de chegada que se esquece de aproveitar a viagem.

Adoro ir à Índia conversar com os mestres. Mas ir à Índia não significa somente chegar ao mosteiro e me encontrar com o mestre. É preciso antes pegar o avião, passar várias horas dentro dele, fazer escalas, adaptar-se ao fuso horário, carregar malas... E, ao chegar a Bombaim, caminhar no meio da multidão faminta que pede esmolas, andar por ruas sujas até finalmente alcançar o mosteiro.

Muita gente desiste no meio do caminho porque não percebe que essa caminhada é tão ou mais importante do que atingir o destino. É fundamental passar por todas essas etapas curtindo cada uma delas, aprendendo com cada uma delas. E quando você conversar com um mestre vai perceber que ele não lhe dará uma poção mágica, mas lhe indicará uma série de meditações que o levarão a descobrir a verdade da vida.

Todo mundo quer se iluminar, mas poucos querem percorrer o longo caminho até a luz. Sucesso é apenas um momento transitório, uma pousada que você celebra e na qual descansa para prosseguir a caminhada. Caminhar é o trabalho. E quem não admira o trabalho dificilmente vai comemorar o sucesso, que é a consagração justa de um caminho trilhado com amor.

Confúcio dizia: "Encontre um trabalho que lhe dê prazer e você nunca terá de trabalhar na vida".

Para as pessoas que aprenderam a viver, o trabalho nunca será uma dura rotina em busca de dinheiro. Elas conseguem dar ao trabalho uma dimensão que extrapola salários, pagamentos. Recebem aumentos e são promovidas porque têm o prazer de construir algo que as dignifica. Transformam a profissão em instrumento de realização pessoal.

Gostaria que você lesse agora um belíssimo trecho de um dos poemas do poeta libanês Kahlil Gibran sobre o trabalho:

(...) *O trabalho é o amor que se fez visível.*

E se vocês não puderem trabalhar com amor, mas apenas com desgosto, é melhor que deixem seu trabalho e fiquem sentados à porta do templo, a receber as esmolas daqueles que trabalham com alegria.

Pois se vocês assarem o pão com indiferença, assarão um pão azedo, que alimenta a fome do homem só pela metade.

E se espremerem as uvas com ressentimento, o ressentimento destilará veneno no vinho.

E se vocês cantarem como se fossem anjos, mas não tiverem amor ao canto, os ouvidos dos homens se tornarão surdos às vozes do dia e às vozes da noite.

Sim, o poeta Kahlil Gibran está certo: o trabalho é o amor que se torna visível. Aliás, em hebraico, a palavra utilizada para designar trabalho é *abador*. Diferentemente do latim *tripaliare*, que significa torturar, *abador* significa "servir a Deus". Que bom seria se toda a humanidade pudesse desfrutar da consciência de que cada ato profissional é uma forma de realizar nosso compromisso com o Criador!

Muitas pessoas, quando recebem uma proposta de trabalho, pensam imediatamente: "Mas o que vou ganhar com isso?" Pensam apenas em ganhar dinheiro. Não pensam em quanto poderão crescer pessoalmente, realizar-se e adquirir novas competências. O único pensamento é: "Qual vai ser o meu salário?" ou "Qual vai ser o meu aumento?".

Ver o trabalho somente como fonte de dinheiro acarreta desperdício de energias produtivas. O *glamour* do sucesso é um engano.

Quando se pensa que a única função do trabalho é gerar dinheiro, pode-se perder a dimensão de outros benefícios. Muitos se sentem motivados apenas a fazer algo em troca de pagamento e acabam perdendo o mundo que o trabalho dá de presente a quem se entrega a ele com amor no coração. Ainda existem pessoas que não conseguem ver o trabalho como um caminho de crescimento. Elas costumam pensar, por exemplo: "Para que trabalhar se o que meu cônjuge ganha é mais do que suficiente para nós?" ou "Para que trabalhar se o que minha família vai me deixar de herança é suficiente para mim?". Elas não vêem a oportunidade de crescimento existente no trabalho.

Há adolescentes que não se preocupam com o trabalho por já serem ricos: "Para que trabalhar se meus pais me dão tudo?". Muitas pessoas vivem assim porque sempre contam com alguém para lhes dar "tudo". Não percebem que esse "tudo" não é tudo. Mais do que nos dar uma "mesada", o trabalho nos ajuda a amadurecer e a nos abrir para o mundo.

Lógico que é maravilhosa a sensação de autonomia de poder pagar as próprias contas e viver bem com o que se ganha com o trabalho. Mas eu gostaria de lembrar a você: tenha o prazer de curtir cada ação que você pratica em sua profissão. Não perca os sabores da vida. Existem prazeres muito maiores do que simplesmente receber um cheque pelo pagamento de seu trabalho.

Curtir apenas o pagamento é um desperdício grande, que pode ser comparado ao daquelas pessoas que se alimentam pensando somente nos nutrientes de uma refeição. Elas se esquecem do prazer de saborear a comida. Preocupam-se apenas em calcular a quantidade de vitaminas, sais minerais, calorias e proteínas consumidas. Comem como se estivessem tomando cápsulas de nutrientes.

É claro que é ótimo ter consciência na escolha da alimentação, mas também é importante sentir o prazer de saborear a comida. Não coma uma salada simplesmente porque ela é boa para a saúde, mas saboreie a delícia de uma alface crocante, o ardido de uma rúcula fresquinha, note a beleza da cor da cenoura. Comer é muito mais do que fornecer nutrientes ao organismo. Da mesma forma, trabalhar é muito mais do que ganhar dinheiro. A maior dádiva do trabalho é que ele nos oferece a oportunidade de nos aprimorar como seres humanos. É por meio do trabalho que temos a chance de amadurecer e descobrir nossos talentos.

TRABALHO É VIDA

Você já parou para pensar por que Deus criou o mundo em seis dias e descansou no sétimo?

Ele fez tudo: as galáxias, os mares, os céus, as árvores, os animais, os seres humanos, e tudo com perfeição, pois Ele é perfeito. Criou uma obra-prima. No sétimo dia, parou para admirar o que tinha feito e ver como tudo funcionava tão bem.

Entregou, então, a obra a seus filhos. Deu a cada um de nós a oportunidade de cuidar das riquezas do universo. Quando trabalhamos para resolver alguma dificuldade ou para realizar algum projeto, temos a chance de viver à imagem e semelhança do Criador.

Ao trabalhar, experimentamos a energia de Deus. Com o trabalho, nós aprendemos, evoluímos e nos transformamos em agentes de Deus. O bispo sul-africano Desmond Tutu, ganhador do Prêmio Nobel da Paz de 1984, diz que é por intermédio da nossa ação que nos tornamos parceiros de Deus.

O Grande Mestre nos criou para sermos seus braços na conservação e na transformação do universo. Quando trabalhamos, estamos fazendo a nossa parte no grande espetáculo da vida. Espetáculo de que podemos participar com ânimo e alegria. Ou simplesmente encarar como um grande fardo... A escolha é nossa.

Claro que muita gente se pergunta: por que Ele mesmo não reorganiza tudo?

Bem, se Ele cuidasse de tudo, nós nunca teríamos a oportunidade de evoluir e de experimentar nossa capacidade criativa. Se o Mestre agisse como um pai superprotetor, que sempre está recolhendo os brinquedos que o filho deixa espalhados pelo chão, não teríamos a chance de entrar em contato com nossa força interior e nunca conheceríamos esse poder que existe dentro de cada um de nós. Assim, como filhos mimados, não aprenderíamos nada sobre a vida e nunca cresceríamos como pessoas.

O criador da Psicanálise, Sigmund Freud, um dos maiores conhecedores da alma humana, dizia que a felicidade se baseia no amor e no trabalho. Para ele, a influência da realização profissional na construção da felicidade é definitiva. Ou seja, realizar-se profissionalmente não é só uma forma de conseguir dinheiro mas também um passaporte para viver feliz e em plenitude. No entanto, para muitas pessoas, o trabalho é apenas um sacrifício necessário para garantir a sobrevivência. Sofrimentos e chateações durante um mês inteiro em troca do salário para pagar as despesas da felicidade. Esse conceito de trabalho é muito limitado porque torna a vida infeliz. Tempo é vida! O tempo que gastamos com atividades que não nos satisfazem transforma nossa vida num desperdício permanente.

Trabalho é vida. Abelhas, formigas, leões, pássaros trabalham. A natureza nos mostra animais e vegetais investindo energia em sua plena realização. As árvores florescem e frutificam. Os animais buscam alimento e procriam para preservar a espécie. Não consigo imaginar uma abelha reclamando da vida por ter de fabricar mel. Não consigo imaginar uma laranjeira reclamando da sina de florescer e de amadurecer seus frutos. Mas o ser humano se distanciou tanto de sua essência que muitas vezes não percebe que o trabalho é o caminho natural para a realização de sua vocação.

Perceba que as pessoas empreendedoras têm uma visão diferente do trabalho. Em seus afazeres, elas estão sempre procurando algo além da remuneração. Elas buscam no trabalho uma oportunidade para se realizar, querem se sentir competentes no que fazem. É isso que as move.

É maravilhoso ver o quanto essas pessoas estão conscientes de sua missão. Para elas, o tempo investido em suas atividades não tem nada a ver com obrigação, mas com diversão. O trabalho é uma fonte de prazer porque elas integraram alegria a suas ações profissionais.

Lembro-me da história de uma cozinheira que vivia sempre cantando até que um dia a patroa, irritada, lhe pediu:

— Maria, dá para você parar de cantar enquanto trabalha?

E a moça respondeu:

— Mas, patroa, eu nunca trabalho! Eu faço comida!

Quer dizer, embora essa cozinheira tivesse uma imagem negativa do trabalho, considerava o que fazia tão prazeroso que simplesmente não considerava que estava trabalhando enquanto fazia comida. E você, qual imagem tem do trabalho?

Para muita gente, trabalhar significa rotina, exploração, pressões absurdas, desperdício de tempo. Muitos jovens vêem os pais chegar em casa reclamando do emprego, eternamente preocupados porque se esforçam mas nunca têm dinheiro para pagar as contas. Esses jovens acabam adquirindo uma referência negativa do trabalho.

Por outro lado, em muitas famílias ricas o trabalho ainda é associado à pobreza, como se somente os pobres tivessem de trabalhar! É a antiga noção de que só os escravos devem trabalhar.

Assim, muitas vezes, sem sequer perceberem, os próprios pais transmitem aos filhos conceitos preconceituosos sobre o trabalho. Esses pais não se dão conta de que o padrão de vida da família foi construído com muito trabalho.

Pare por alguns segundos, olhe para dentro de si mesmo e observe que referências você tem a respeito do trabalho. Responder a algumas perguntas pode ajudá-lo nessa reflexão:

- No final de um dia de trabalho você sente que o tempo dedicado às suas atividades contribuiu para você ser uma pessoa mais plena?
- No final de um dia de trabalho você tem a sensação de que ajudou a tornar o mundo melhor?

Muitas pessoas que se sentem insatisfeitas com o que fazem ainda não se deram conta de que não tiveram uma boa referência de trabalho na infância. Se você sente que não teve essa boa referência, este é o melhor momento para redefinir essa imagem e recriá-la.

Alcançar a realização pessoal e profissional não significa obrigatoriamente mudar de profissão ou de emprego, mas mudar de atitude perante o trabalho. Você já se deu conta disso?

A IMPORTÂNCIA DO SEU TRABALHO

O trabalho do professor forma o novo adulto.

O trabalho dos engenheiros e arquitetos constrói as casas onde moramos.

O trabalho do jornalista traz as informações que nos mantêm ligados ao mundo.

O trabalho dos padeiros faz o pão quentinho que saboreamos de manhã.

O trabalho do agricultor garante o nosso alimento.

Aproveite e pense nisto: e o seu trabalho? Que valor ele tem para o mundo?

Cada profissional torna a vida de todos melhor. Cada um tem sua missão na sociedade. O trabalho permite à pessoa sentir a dimensão de sua importância para o próximo.

Eu admiro as famílias que educam os filhos para valorizar o trabalho. Elas criam no futuro adulto o prazer de lutar para realizar seus sonhos. O sentimento de autonomia é formado na infância. Ajude seu filho a ter prazer quando realizar os objetivos da vida dele.

Uma das atitudes mais importantes no relacionamento com seu filho é pedir que ele participe das tarefas de casa: "Filho, por favor, me ajude a descarregar as compras". E lá vai a criança carregando um rolo de papel higiênico e se sentindo muito importante.

A família que valoriza o trabalho cria um sentimento de importância e de competência em seus membros. No começo, é a competência de ser útil para os pais, depois a competência de estudar para se tornar um bom profissional e, principalmente, a competência de criar uma vida de plenitude.

Em casa, devemos gerar um ambiente de amor e respeito ao trabalho. É muito bom para os filhos quando os pais celebram suas conquistas profissionais e mostram a eles que, graças ao trabalho, estão comemorando a compra da casa nova, ou quando compartilham com eles histórias de ajuda ao próximo proporcionadas pelo trabalho.

É na primeira infância que muitas crianças formam a imagem do trabalho como um obstáculo à felicidade. Quando a criança pede ao pai para brincar com ela e este responde, com ar de frustração, "Agora não, papai tem que trabalhar", essa criança já começa a elaborar a idéia de que o trabalho afasta as pessoas que se amam.

Nunca perca de vista que é importante criar uma imagem positiva do trabalho para você e para os seus filhos. É na família que aprendemos a maneira de viver, no futuro, o tempo dedicado ao trabalho. E viver é realizar expectativas. Quem espera sacrifício acaba encontrando sofrimento e quem espera realização acaba por alcançá-la.

Infelizmente, grande parte das pessoas não teve a oportunidade de nascer em famílias que transmitem uma boa imagem do trabalho e o encaram apenas como uma forma de conseguir comida e moradia. Muitas vivem sem uma verdadeira ambição profissional que leve à realização pessoal. Contentam-se em satisfazer as necessidades básicas e não percebem que existem tesouros além do horizonte. Aqueles que trabalham pensando somente em acumular dinheiro desperdiçam o prazer de resolver problemas para melhorar a vida de outros seres humanos, de ajudar alguém a aprender, de construir uma casa ou de salvar uma vida, simplesmente porque estão interessados apenas na remuneração que vem desse trabalho. Todos nós conhecemos pessoas assim: vivem juntando dinheiro para não terem preocupações na velhice e, no fim da vida, descobrem que precisam de tantas outras coisas que o dinheiro não pode comprar...

Lógico que o trabalho é o melhor instrumento de realização de nossas conquistas materiais. Mas, além disso, é um grande caminho de realização pessoal. Trabalhar desenvolve a capacidade de pensar, de tomar decisões, de encontrar soluções, de construir projetos e de aprender a lidar com pessoas. A força do trabalho como meio para estimular o desenvolvimento pessoal é tão importante que, se não trabalhamos com esse objetivo, quando a aposentadoria vem ela revela a verdadeira face de uma vida sem sentido. O aposentado que não cresceu com o trabalho envelhece rapidamente. Ele não tem mais razão para realizar algo sem a motivação do dinheiro. Quem, pelo contrário, se realizou como ser humano por meio do trabalho jamais envelhece e, mesmo aposentado, continua atuante.

Lembre-se: transformar o mundo e, com sua ação, tornar a vida do próximo melhor é o mais sublime poder do trabalhador. É maravilhoso pensar que existem pessoas...

- que sabem transformar uma pepita de ouro em uma aliança de casamento, símbolo de um amor infinito;
- capazes de transformar um punhado de farinha num saboroso pão, que alimenta não só o corpo mas também a alma;
- que transformam um deserto numa plantação de frutas e verduras;
- que fazem de uma criança carente um adulto responsável.

A capacidade de transformação cria no ser humano a experiência do divino que existe em cada um de nós. Transformar a realidade da nossa vida em algo melhor nos ajuda a entrar em contato com a essência do trabalho: servir. É isso mesmo: transformar para servir ao outro!

Aliás, a melhor maneira de nos tornarmos parceiros de Deus é servindo ao próximo. É pelo trabalho que ajudamos os outros e ao mesmo tempo criamos sentido para nossa vida. Com suas palavras, a enfermeira consola o paciente que sofre. Com sua dedicação, a secretária auxilia o departamento da empresa a realizar seu propósito com mais agilidade. Mesmo num setor aparentemente desprovido de sentimentos, como o bancário, é importante que exista o sentido de servir. Com um empréstimo, por exemplo, um banco pode ajudar um cliente a alavancar seu negócio ou a solucionar um problema familiar.

É muito importante que as pessoas compreendam em que dimensão seu trabalho ajuda os outros. É por isso que um parceiro de Deus não vê o trabalho como sacrifício.

Mas também não adianta encarar o trabalho como vício. Quem se viciou em trabalho acaba realizando suas tarefas no automático e perde a dimensão da riqueza de suas ações. E por que isso acontece? Simplesmente porque a pessoa que não sabe lidar com sua vida afetiva utiliza o trabalho como meio para não entrar em contato com a própria solidão. Trabalha o tempo todo para não sentir as necessidades afetivas. Não consegue um momento de descontração. Está sempre pensando num problema a ser resolvido, num projeto a ser realizado, numa meta a ser atingida. Sua vida se transforma num inferno de preocupações. Brincar com os filhos se torna mais um compromisso na agenda. Até fazer amor com a esposa vira um problema no meio da agitação do dia-a-dia.

O viciado em trabalho deturpa a verdadeira imagem de sua profissão. O que era vida transforma-se em compulsão. Ele pode até ser um médico que ajuda muitos pacientes, mas a maneira como realiza seu trabalho faz cada atendimento aproximá-lo do infarto. Ele não consegue ser uma pessoa livre. É como aquele empresário que pensa ser dono da fábrica, mas na realidade a fábrica é que é dona dele.

O viciado em trabalho vive se escondendo da vida, dos outros e de si mesmo. Está viciado em preocupações e perdeu o prazer de viver. Quem é parceiro de Deus, pelo contrário, entende que o trabalho é parte de uma vida cheia de pessoas queridas e de ações plenas de sentido.

Se neste momento da sua vida você está trabalhando demais, é hora de parar e pensar: estou mesmo precisando trabalhar tanto? Não estou me transformando num viciado em trabalho? Não estou deixando de lado as pessoas que amo para me dedicar exclusivamente à minha carreira?

FORMIGAS E CIGARRAS

Você é uma formiga ou uma cigarra?

Na célebre fábula contada pelo francês Jean de La Fontaine no século XVII, formigas e cigarras jogavam em times opostos. Odiavam-se por serem espelhos da fraqueza alheia. A formiga, com sua dificuldade de desfrutar a existência, vivia sobrecarregada de trabalho. A cigarra fazia o que gostava, mas não tinha senso de profissionalismo que lhe garantisse a sobrevivência. As duas viviam muitas frustrações.

É importante constatar que, quer nosso estilo de trabalhar seja parecido com o das formigas, quer com o das cigarras, podemos aprender a integrar o prazer ao profissionalismo. Chegou a hora de criar uma nova geração de profissionais: as formigas "cigarradas" ou as cigarras "formigadas". Formigas e cigarras apenas são muito chatas. Umas carregam folhas eternamente e as outras pedem mesada o tempo todo.

Em nossa sociedade, os executivos bem-sucedidos, as formigas, ficam morrendo de inveja das cigarras, que ganham pouco mas curtem a vida a mil. As cigarras, porém, também ficam morrendo de inveja dos executivos bem-sucedidos, que estão sempre subindo profissionalmente.

As duas têm muito a aprender uma com a outra em vez de morrer de inveja. Ninguém precisa ficar trocando farpas e ironias. Como sempre, a saída é aprender algo com quem nos incomoda... Você se identifica mais com a formiga bem-sucedida ou com a cigarra feliz? Se você se vê como uma formiga, já pensou em trabalhar cantando? Você se vê como uma cigarra? Então que tal profissionalizar-se em sua arte de cantar?

Integrar competência e prazer fará que o profissional aproveite cada minuto do seu trabalho. Esse é o grande desafio para quem pretende ser a alma do negócio.

As dez regras do trabalho:

1. Acorde e pense no seu objetivo.

2. Relembre todos os dias seu principal objetivo e seus objetivos secundários.
3. Lembre-se de tudo que já conquistou para seguir no seu caminho planejado.
4. Pense nas ações que já realizou e que já renderam resultados para alcançar seu objetivo principal.
5. Respire fundo e oxigene sua mente para ter mais um dia a favor do que projetou para sua vida.
6. Durante o dia, coloque em prática tudo aquilo que já definiu como estratégia.
7. Sempre que possível, compartilhe com amigos suas conquistas.
8. Peça ajuda sempre que precisar.
9. Quando for dormir, sinta a sensação de que o que já fez contribuiu para seus objetivos.
10. Respire e agradeça ao criador por tudo o que você realizou durante este dia e durma com a consciência tranqüila de que você está realizando sua missão neste planeta.

Ações para tornar meu trabalho consistente:

capítulo

QUATR

COMPE

VOCÊ TEM DE SER BOM NO QUE FAZ!

O
TÊNCIA

QUATRO

"Você não deve fazer as coisas certas de vez em quando...
Você tem de fazer as coisas certas o tempo todo."

VINCE LOMBARDI

BEM, VOCÊ JÁ TEM UM OBJETIVO CLARO, uma estratégia definida e uma forma de trabalhar consistente. Agora só falta desenvolver competência superior.

Muitos empreendedores constroem um novo negócio. Seus objetivos são claros, sua estratégia é definida, eles adoram trabalhar e fracassam. Depois de alguns meses fecham seu negócio mergulhados em dívidas. Qual foi o erro? Não tinham competência para administrar o negócio. Não entendiam nada de gestão de empresas.

Em Santos, onde passei minha infância, as pessoas costumavam perguntar: você sabe fritar bolinho? Essa expressão era usada quando alguém falava que ia trabalhar em algo. Eu vou trabalhar num escritório de contabilidade. Você sabe fritar bolinho? A pergunta significava: você entende desse negócio? Infelizmente muitas pessoas hoje em dia se metem em negócios sem saber fritar bolinho.

Na era do *marketing* pessoal, temos médicos que não sabem medicar, advogados que não sabem advogar, cozinheiros que não sabem cozinhar. Uma imensa multidão que se esquece de que, sem competência, ninguém chega a lugar nenhum. A pessoa pode até aparecer na televisão, mas quando seus clientes surgirem eles vão encontrar um profissional despreparado.

Esse profissional que vive de aparências contrata assessor de imprensa, *personal stylist*, decorador para montar escritórios maravilhosos, mas nunca estuda para ser verdadeiramente capaz de fazer um belo trabalho.

Freqüentemente profissionais talentosos desabafam que não conseguem transformar seu talento em riqueza. Depois de alguns minutos de conversa, percebo que eles não têm competência para realizar seus objetivos.

Há algum tempo, fui fazer uma palestra em uma cidade do Nordeste. O organizador do evento providenciou uma assessora de imprensa. Uma jovem supermotivada, com planos de ter a própria assessoria de imprensa. Quando, porém, olho o resultado do seu trabalho, vejo que ela não conseguiu entrevistas interessantes. Peço para ver o material enviado para a imprensa e confirmo o que imaginei. O texto é horroroso. Sem coerência, trazia informações equivocadas, e o pior: erros de português.

Se ela não tiver humildade para aprimorar seu texto, vai ficar difícil conseguir realizar seu objetivo.

Competência é uma palavra-chave na vida de um campeão. Ela significa a capacidade de realizar o combinado. Outra maneira de defini-la são as habilidades, conhecimentos e atitudes para realizar seu projeto de vida.

Pare e pense por um minuto, agora que desenhou seu projeto de vida: você tem competência para realizá-lo?

Na verdade, quando nossos resultados não estão mostrando nossa dedicação, é importante analisar se somos competentes para o que estamos fazendo.

Os campeões são competentes no que fazem. Eles sabem que, na hora de usar um bisturi durante uma cirurgia, devem ser precisos. Na hora de defender um réu durante um julgamento, sua palavra tem de ser clara, forte e convincente. O cozinheiro sabe que se deixar passar o ponto de cozimento pode colocar o jantar a perder.

O profissional campeão sabe que ele tem de ser competente em todos os momentos da sua vida. A competência não é simplesmente saber como fazer, mas pôr o seu conhecimento em prática e conseguir entregar o que você prometeu.

O filho de um amigo não estava conseguindo passar no vestibular. A pedido do pai, fui conversar com o jovem, que me disse que, apesar de estudar muito, não estava aprendendo. Depois de alguns minutos, percebi que ele não sabia estudar. Não tinha um programa de estudo nem uma estrutura adequada, mas o maior problema é que ele se achava o máximo. Era um estudante incompetente que não tinha consciência da sua incompetência. Depois de algumas semanas, falou: pensei no que você disse e realmente preciso aprender a estudar. Ótimo! Agora que ele percebeu a incompetência, algo pode ser feito para ele ter sucesso em seu projeto de entrar na faculdade.

AS QUATRO ETAPAS DA COMPETÊNCIA

A primeira é a incompetência inconsciente. Nessa fase o indivíduo é tomado por uma sensação de arrogância que o faz pensar que é competente na sua tarefa. Acredita que não tem nada a aprender com ninguém e, pior, não acha que é preciso aprender alguma coisa. Geralmente essa fase termina com uma depressão, pois o indivíduo vê que, apesar do orgulho que sente de si próprio, os resultados são ruins. O estudante não passa no vestibular, o empresário fecha a empresa cheia de dívidas, o trabalhador se vê demitido depois de muitos anos de empresa, o desempregado se dá conta de que não consegue emprego apesar de seu bom currículo.

Infelizmente, a maioria dessas pessoas não consegue sair da fase de incompetência inconsciente porque, quando os resultados negativos aparecem, elas tendem a achar que a causa de seus problemas é sempre algo que está fora delas. A culpa é do meu pai, que não me apóia. Tudo ia bem até o Plano Collor. A política econômica matou a minha empresa. A minha chefe me demitiu porque tinha inveja de mim.

As pessoas que não percebem que seus resultados são fruto da sua maneira de trabalhar vão piorando cada vez mais esses resultados, aos poucos vão destruindo sua carreira e depois de algum tempo mergulham na depressão. A vida bate em sua cabeça, mas elas não conseguem olhar para dentro de si e mudar a forma de atuar.

Quando a pessoa tem uma boa dose de humildade, ela é capaz de olhar para dentro de si e perceber que algo em sua maneira de trabalhar está errado. Ela entra, então, na **fase de incompetência consciente**, que é a **segunda etapa**. Nessa fase, a pessoa toma um choque, pois começa a perceber que ficou para trás no mundo. Embora ainda não saiba exatamente o que fazer, ela se dá conta de um déficit de competência em sua maneira de trabalhar.

O aluno compreende que não sabe estudar, o empresário percebe que não conhece o bastante de administração, o profissional fica consciente de que seus companheiros estão muito à frente dele, o desempregado se dá conta de que existem muitos outros profissionais melhores do que ele procurando emprego. Na linguagem popular, podemos dizer que o indivíduo cai na real.

Infelizmente, algumas pessoas ficam atoladas nessa fase. Percebem-se incapazes de realizar seu trabalho, mas não têm coragem de fazer alguma coisa para evoluir. Escolhem se culpar em vez de procurar ajuda.

Quando a pessoa resolve evoluir, ela busca ajuda. Vai fazer um curso, conversar com um amigo que entende do seu trabalho, dispõe-se a estudar as empresas do mercado ou contrata uma consultoria. Aliás, atenção, executivo: não contrate uma consultoria simplesmente para organizar a sua empresa, e sim para ensiná-lo a modernizar o seu negócio. Se você não aprender esse trabalho, quando a consultoria deixar a empresa tudo o que ela fez corre o risco de desaparecer.

A decisão de aprender dá início **à terceira fase: o desenvolvimento da competência consciente**.

Quando o empresário decide profissionalizar seu negócio, ele deve tomar cuidado para que cada movimento seu não atrapalhe o processo de mudança que se iniciou. O médico que está aprendendo uma nova técnica cirúrgica vai ter de prestar uma atenção maior, porque está reaprendendo.

Fernando Meligeni, um dos melhores tenistas que o Brasil já teve, conta que, em determinado momento de sua carreira, seu técnico lhe propôs mudar sua maneira de jogar: que em vez de utilizar as duas mãos para responder as bolas na esquerda, passasse a usar somente a mão direita. Ele teve de ser muito determinado para mudar parte de sua forma de jogar, mas percebeu que o técnico estava certo, pois se não evoluísse não iria conseguir melhorar seus resultados. Depois dessa etapa de aprendizado, em que ganhou poucas partidas, veio a recompensa por sua humildade e dedicação.

Após um tempo de dedicação ao novo aprendizado, o indivíduo entra na **quarta etapa: a competência inconsciente**. Nessa fase, a competência do profissional flui com naturalidade e ele consegue seus melhores resultados. Sua atuação fica espontânea e suas performances melhoram infinitamente.

Um detalhe fundamental: todo esse processo não tem fim. Passado algum tempo, surge uma nova tecnologia ou um novo conhecimento que altera o panorama de um setor, e uma nova fase de incompetência inconsciente pode ter início para o profissional.

Por isso leitura é vital, participar de congressos, conversar com os melhores profissionais de sua área. Estar em contato com os melhores evita surpresas desagradáveis.

As competências são específicas para determinada tarefa. Eu sou um escritor competente, mas com certeza não tenho competência para construir uma casa. Infelizmente, muitas vezes as pessoas pensam que por serem competentes em um campo de atividades elas vão ser diretamente competentes em muitas outras áreas profissionais, e com isso acabam provocando catástrofes financeiras. Um jogador de futebol profissional sensacional pode destruir sua fortuna se aplicá-la em um negócio que não sabe administrar.

Competência tem de vir acompanhada por comprometimento, porque uma pessoa que não se envolve, apesar de ser competente para determinada tarefa, vai acabar fracassando.

Como disse o técnico de futebol americano Vinci Lombardi: ele sabe que tem de acertar o tempo todo. Como um piloto de avião, que não pode errar em 1% de seus vôos. Ele tem de levar os passageiros para seu destino em todos os vôos. Campeões não se permitem acertar só de vez em quando.

O quadrinista Mauricio de Sousa me contou uma história muito bonita de sua vida. Seu pai, apesar de ser um profissional muito talentoso, nunca teve tranqüilidade financeira, porque não sabia cobrar pelo seu trabalho. Era músico, poeta, escritor (chegou a escrever discursos de governadores) mas, apesar de tantas habilidades, não fazia do seu talento uma fonte de dinheiro. Quando percebeu o talento artístico do filho, ficou preocupado que ele também não conseguisse transformar talento em riquezas. Então pediu que seu amigo Bruno, um corretor sensacional que vendia tudo o que aparecia pela frente, ensinasse o filho a fazer dinheiro com seu trabalho. Graças a Deus ele teve essa visão, pois a Mauricio de Sousa Produções Artísticas é um exemplo de empresa organizada e bem-sucedida, e todo o planeta, hoje, pode se divertir com os personagens da turma da Mônica.

Sorte de Mauricio ter tido um pai que percebeu ser incapaz de ensinar algo que não sabia, e parabéns para ele, por ter tido humildade e dedicação para desenvolver uma competência que viria a ser muito importante para sua carreira profissional.

Como uma competência é desenvolvida? De várias maneiras.

A primeira é aprendendo. Estudar é fundamental para melhorar nossa competência.

A segunda é observando pessoas competentes trabalhando. Por isso seu professor de tênis fala para você assistir a muitos jogos dos campeões. Assistindo a esses feras, você vai incorporando o modo como eles fazem seu jogo, e isso facilita o aprendizado.

A terceira maneira é trabalhando com pessoas competentes. Se você tem a oportunidade de estar com os campeões, tem o maior tesouro da vida. Eles ensinam no dia-a-dia.

A quarta maneira é fazendo muito. Se você quer ser um escritor, leia muito. Estude muito, mas, principalmente, escreva muito. Fazer muito algo que você não sabe facilita demais sua evolução.

Eu costumo ensinar aos jovens universitários o que eu chamo de as quatro dicas do sucesso; no fundo elas são um guia para o desenvolvimento da competência.

Aqui vão elas para você.

1. O sucesso não é feito durante o expediente. Ele é construído à noite, quando você faz um curso, lê, estuda, analisa o que aconteceu durante o dia ou conversa com alguém mais experiente. Quando você observa um campeão, ele está sempre dando um extra e colocando uma energia a mais que seus concorrentes.

Durante o dia, as pessoas tendem a se concentrar nas atividades operacionais para realizar suas metas. Sua tendência é fazer o que todos fazem, mas, como as exigências de sua carreira estão aumentando, se você simplesmente se contentar em manter suas habilidades, rapidamente estará perdendo competitividade para alguém mais capacitado.

2. Aceite ser o pior aluno da classe. Você já observou que as crianças costumam estudar as matérias que gostam e desprezar as que não gostam? Na verdade, o que pode acontecer é algum professor especial apresentar determinada disciplina de forma mais interessante, ou os pais reforçarem mais uma matéria, e então a criança começa a se sair bem nela. Como ela conhece a matéria, a tendência é se aprofundar nesse conhecimento e deixar de lado aquela que não aprendeu.

Com os adultos acontece o mesmo: tendemos a dar mais valor ao que conhecemos. Desse modo, sem notar, estamos fortalecendo nossas limitações, porque ficamos com uma visão parcial da vida.

Todo crescimento implica caminhar rumo ao desconhecido. Fazer um curso sobre um assunto que você não entende muito é fundamental para dar um salto qualitativo na carreira. No final, você terá dominado um tema no qual se sentia um peixe fora d'água e começará a expandir sua capacidade de análise.

Ao fazer um curso de planejamento financeiro, um profissional de recursos humanos com certeza se sentirá inferiorizado, assim como alguém que não seja da área de finanças se sentirá perdido num curso sobre relações humanas. Mas, se eles tiverem humildade e garra para continuar até o fim, após seis meses ou um ano de aprendizado esse conhecimento agregará muito valor a seu potencial.

A tendência do ser humano é querer estar entre pessoas que sabem menos que ele, mas o maior aprendizado acontece quando se está com gente que sabe mais. Por isso, coloque-se sempre num grupo em que você possa receber mais do que ensinar.

3. Aceite ser o bobo da turma. Numa turma da faculdade, existem os bobos e os espertos. Os bobos são aqueles que fazem os trabalhos, enquanto os espertos são os que simplesmente pedem para assinar. Os bobos são os que lêem os livros, enquanto os espertos colam nas provas. Os trouxas são os que batalham por um estágio, enquanto os espertos curtem a vida...

Cada vez mais, ser esperto é ser o bobo da turma. São eles que encontram a melhor oportunidade no mercado de trabalho. Se você faz uma pós-graduação, um curso de especialização ou uma faculdade, quando os colegas pedirem para assinar o trabalho que você fez sozinho, aceite. Na hora da verdade, você vai saber como agir, enquanto o esperto não vai ter de quem colar no momento de fazer uma cirurgia, por exemplo.

Quando houver programas de reorganização empresarial com reuniões fora do horário de expediente, seja o bobo que participa deles. Enquanto os espertos vão chamá-lo de puxa-saco, você vai aprender mais e adquirir uma visão maior da empresa. Depois, na hora de uma entrevista de emprego, vão lhe perguntar sobre cada item de seu currículo, e aqueles que têm o que contar levarão vantagem.

4. Estude e trabalhe com campeões. Os campeões vão ensiná-lo a ser campeão. Os medianos vão ajudá-lo a quebrar um galho. O campeão vai exigir que você seja sempre o melhor, vai inspirá-lo a querer atingir a próxima montanha, vai fazer você buscar sempre mais.

Encontre uma maneira de estudar nas melhores universidades e com os melhores professores. Principalmente procure estudar com aqueles que sempre querem evoluir. Eles são insaciáveis, nunca estão satisfeitos com nada, querem sempre mais e vão contagiá-lo com sua ambição de evoluir.

Gaste um pouco mais, mas contrate sempre os melhores profissionais. Eles vão encurtar o caminho que leva ao sucesso. E agüente as idiossincrasias deles. Muitas pessoas que estudam e trabalham com os foras-de-série reclamam que eles nunca elogiam. Na verdade, eles não elogiam nem a si mesmos, que estão anos-luz à frente, quanto mais um principiante como você.

Tenha para si mesmo que você está lá para aprender, desenvolver sua competência; depois, quando você for fera, os elogios virão. Aproveite cada oportunidade ao lado de um campeão para mostrar sua capacidade de auxiliá-lo. Para continuar junto dele, você vai ter de ser bom também, mostrando que pode ajudá-lo a conquistar objetivos.

Voltando à minha meta de ser um grande terapeuta: eu me dei conta de que precisava das seguintes competências:

1. ser médico, para ter um título universitário que me qualificasse para a minha profissão;
2. ser um bom psiquiatra, para conhecer o ser humano do ponto de vista biológico;
3. ter a cabeça boa para ajudar os outros;
4. conhecer vários métodos de psicoterapia;

5. falar inglês, para poder estudar nos Estados Unidos;
6. ser capaz de ajudar os outros;
7. Para cada uma dessas competências de que eu iria precisar, desenvolvi um sistema de aperfeiçoamento que me permitiu realizar as ações de meu plano estratégico.

Agora é com você. Faça uma lista das competências que precisa desenvolver para realizar sua meta e como você pretende desenvolvê-la.

Lista de competências e plano de desenvolvimento:

1ª competência: ____

2ª competência: ____

3ª competência: ____

capítulo

CINCO

OS CAM
NA VID

PEÕES
A

CINCO

AMAR O PRÓXIMO – 1

"E que é trabalhar com amor?
É construir uma casa com afeto, como quem faz a
casa onde a pessoa amada vai morar.
É semear as sementes com ternura e apanhar a
colheita com alegria, como quem colhe a fruta
para dar de comer à pessoa amada."

KAHLIL GIBRAN

Uma das idéias que mais têm levado o profissional à acomodação é a de amar o que faz. Quando você ama o que faz, pode se tornar um prisioneiro da rotina e uma vítima da acomodação. Quando você somente se preocupa em amar o que faz, corre o risco de, em vez de olhar para o cliente, se identificar com a calculadora que usa no escritório, com o elevador do qual é ascensorista ou com o computador que tem em cima da mesa.

Não ame simplesmente o que você faz, ame o próximo! Ame a pessoa que está à sua frente, que o procura com seus dramas e desejos. Existe um ser humano à sua frente que precisa se sentir importante. Quem trabalha com amor e por amor jamais vai tratar os outros como coisas ou como partes de uma engrenagem.

Certa vez eu visitava um hospital e vi um médico que tratava mal uma criança. Quando tive oportunidade, fui conversar com ele sobre o ocorrido e ouvi a seguinte resposta: "Roberto, o que você quer? Com o salário ridículo que eu recebo, isso é o máximo que posso dar".

É verdade que é ridículo o salário de um médico de hospital público, como também é ridículo o que a maioria dos professores ganha nas escolas públicas. Contudo, um médico que maltrata o paciente ou um professor que humilha o aluno não merece sequer esse salário.

O primeiro compromisso do profissional é com o outro, e não com o salário que ganha. Ele precisa ver claramente qual é sua missão no planeta Terra. A motivação do bom profissional vem da consciência de sua importância na vida das pessoas.

O bom professor dá uma boa aula não porque vai ganhar bem, mas porque tem consciência da sua importância na formação do aluno que está cruzando seu caminho. O cientista, dentro do laboratório, deve ter a consciência de como seu trabalho pode criar uma vida melhor para alguém que ele nunca vai conhecer pessoalmente.

Você já imaginou a motivação que precisa ter um soldado da Polícia Militar que, em troca de um salário baixíssimo, despede-se todos os dias da família para enfrentar os bandidos, arriscando a própria vida?

Você já imaginou a motivação que precisa ter um motorista ou um cobrador de ônibus que trabalha em uma grande metrópole e ganha uma miséria para enfrentar a loucura de um dia-a-dia de trânsito?

Quando o sentido de servir é a motivação, a pessoa realiza seu trabalho com a consciência de sua importância e nem precisa receber um "muito obrigado" da pessoa que ajudou. Maurício Vergani, um grande amigo meu, certo dia me disse algo lindo: "Eu faço meu trabalho o melhor que posso porque, na verdade, não estou preocupado em agradar o meu chefe, mas em servir a Deus".

É pouco provável que ele se sinta frustrado se alguém não agradecer seus esforços. Mas é certo que se sente mais feliz com seu trabalho do que a maioria das pessoas.

Além do mais, quem trabalha com amor no coração consegue evoluir financeiramente. Por exemplo: um médico que trata bem as crianças de um hospital que lhe paga pouco vai conquistar uma clientela satisfeita com seus serviços, e seu consultório particular acabará ficando lotado.

Mesmo que você ganhe um salário pequeno, tenha certeza de que, servindo ao próximo com competência, receberá muitas recompensas. A melhor de todas é a convicção de estar cumprindo sua missão.

AMAR O PRÓXIMO – 2

Como diz o jornalista Mário Rosa, quem trabalha bem nunca é egoísta; egoísta é quem não trabalha. Para ter sucesso profissional, você precisa obrigatoriamente pensar no outro. Quando pára de pensar no outro, a decadência se torna inevitável. O trabalho bem-feito sempre passa pelo esforço de pensar no próximo!

O sucesso profissional está sempre ligado à capacidade de solucionar problemas ou satisfazer as necessidades de alguém. O indivíduo que sofre uma injustiça precisa de um advogado competente. O empresário que não encontra um caminho de sucesso para sua empresa precisa de um ótimo consultor. O executivo superatarefado precisa de uma secretária eficiente que o ajude a dar conta do seu trabalho. A pessoa que quer ter uma casa nova precisa de um bom engenheiro ou de um arquiteto criativo.

Satisfazer as necessidades do outro, solucionando seus problemas, ou ajudá-lo a realizar um sonho, é o melhor caminho para o sucesso profissional. Observe que um profissional que de fato atingiu o sucesso foi aquele que soube ajudar alguém. Foi aquele que cumpriu sua missão mais essencial: servir aos outros com sua experiência, com seu conhecimento, com suas competências.

Quando alguém está passando por uma crise profissional é porque abandonou o propósito básico de servir ao próximo. O fracasso não está em não ganhar dinheiro, mas em não saber qual o sentido da vida, qual o sentido do trabalho. Um ser humano fracassa quando não sabe fazer seu trabalho com amor, com entusiasmo, com verdadeiro interesse pela pessoa que está à sua frente, pelo seu cliente-pessoa, pelo seu paciente-pessoa, pelo seu funcionário-pessoa.

E quem não trabalha com entusiasmo, quem não sabe servir certamente fracassará do ponto de vista financeiro. Poderá até ganhar dinheiro, mas se sentirá sempre pobre. Pobre de espírito, pobre de alma, pobre de coração!

Por incrível que pareça, o caminho para a solução da maioria dos problemas profissionais consiste em parar de olhar para si mesmo e começar a olhar para o outro.

Por isso, se você é um arquiteto e, por ter poucos clientes, não consegue pagar suas contas, a saída não está em beber para esquecer os problemas. Tampouco será solução ficar irritado e maltratar familiares e amigos. Quando estiver atendendo um cliente, pare de pensar em você e se interesse por ele. Pergunte como está sua vida e o escute com generosidade. Reserve mais tempo aos clientes. Faça com que se sintam importantes. Eles descobrirão em você, além de um excelente arquiteto, uma pessoa especial. E você acabará percebendo que esses poucos clientes vão indicá-lo a parentes e amigos. Em breve, não haverá mais espaço na sua agenda para atender à quantidade imensa de novos clientes.

Por isso tudo, quando estiver trabalhando, deixe de lado todas as preocupações consigo mesmo. Deixe de lado a necessidade de se sentir importante e, principalmente, todas as suas inseguranças. Esteja totalmente disponível para servir ao outro. Por incrível que possa parecer, esse é o melhor caminho para o sucesso.

A SABEDORIA DA VIDA

Bem, até agora falamos de trabalho, mas é importante entender que o trabalho é parte da nossa vida, por isso vamos refletir sobre o significado de sua vida.

Eu acredito que o verdadeiro campeão consegue ter sucesso na vida profissional, afetiva e pessoal. Sucesso com solidão não tem graça nenhuma. Assim como sucesso sem vida pessoal é um vazio com dinheiro.

O que você e todos nós, seres humanos, buscamos é a tranqüilidade de uma vida tão plena que, quando a morte se aproximar, possamos olhá-la nos olhos com serenidade. Olhar para o que fizemos em nossa viagem pelo planeta Terra e dizer com calma: "Valeu a pena, realizei a minha missão, aprendi bastante e agora estou preparado para uma nova viagem".

Isso se chama sabedoria. Ela é essencial. Sem sabedoria, o trabalho se torna uma festa em que os convidados não aparecem. A sabedoria é que dá colorido às batalhas do nosso dia-a-dia. A sabedoria é que dá sentido à nossa vida.

Lógico que vencer é gostoso. Mas as vitórias somente pavimentam o sucesso quando são resultado de um sentido que se deu à vida. Vencer por vencer é o melhor caminho para a futilidade. Vencer por vencer faz as vitórias progressivamente se transformarem em fracassos, pois trazem prazer, mas deixam a vida vazia.

Trabalho, amor, crescimento pessoal, tudo isso só vai florescer em sua vida se ela for regada com sabedoria. Se houver um sentido em sua vida. As escolas tentam formar gênios, a maioria das empresas procura gênios, mas tudo isso só vai criar felicidade quando a inteligência vier acompanhada de sabedoria.

É por isso que eu admiro muito mais os sábios do que os gênios. São os sábios que transformam:

- Vitórias em momentos de alegria;
- Derrotas em experiências de aprendizado;
- Tarefas em missões;
- Pessoas esforçadas em verdadeiros campeões.

A maior competência de um sábio é dar significado construtivo aos eventos da vida. O sábio tem a capacidade de ver um acontecimento dos mais variados ângulos, dos mais diferentes pontos de vista.

Sábios compreendem e gênios julgam.

Sábios procuram virtudes e gênios buscam defeitos.

Sábios procuram soluções e gênios apontam problemas.

Sábio é aquele que consegue compreender um acontecimento com os olhos do coração.

Diferentemente dos sábios, os gênios estão sempre em conflito. Conflito é o resultado da dificuldade de ver e analisar uma situação do ponto de vista do outro. Essa rigidez leva ao radicalismo. Radical é aquele que acredita em uma única maneira de atingir um resultado.

Os maiores exemplos de como o radicalismo pode transformar amor em ódio são vistos nas religiões. A inflexibilidade fez os conflitos religiosos matarem mais do que todas as guerras juntas. Mas somente uma pessoa pobre de espírito consegue matar alguém em nome de Deus. O sábio age de um outro jeito, ele tem consciência de que o Criador é um só, apesar das diferentes religiões. Ele consegue enxergar o ponto de vista das pessoas que têm outras religiões.

Tenho um amigo que me deu um grande exemplo de sabedoria. Ele foi lesado em sua empresa por um gerente financeiro. O episódio lhe custou grande soma de dinheiro, mas em nenhum momento alguém o viu indignado com o gerente nem com a perda do dinheiro.

Sempre que esse assunto vinha à tona nas conversas com a família e os amigos, ele dizia: "Foi um preço justo para uma lição importante que eu estava precisando aprender".

E todos viram seus negócios crescer depois desse episódio. Ele não perdeu nenhuma noite de sono pensando em se vingar do funcionário nem lamentando sua sorte. Tudo o que fez foi trabalhar para ter um sistema de gestão eficaz que evitasse a repetição do problema e impulsionasse as vendas de seus produtos. Ele compreendeu que corrigir problemas é uma ótima oportunidade de analisar melhor um negócio e criar um projeto muito mais lucrativo.

Quantas pessoas não perderiam noites de sono lamentando-se da ingratidão do funcionário e culpando-se por terem acreditado em alguém que não mereceu sua confiança? Com certeza, muitas. Mas meu amigo, não! Ele simplesmente aproveitou a lição. Não gastou energia julgando o outro nem se martirizando. Saiu fortalecido de um problema que poderia derrotá-lo. É assim que fazem os sábios. Por isso podemos aprender muito com eles.

A SABEDORIA DE ACEITAR

Não dá para ganhar sempre! Lembro que, durante minha vida de médico, às vezes via colegas se torturarem pela morte de um paciente que não tinha a mínima chance de viver. Eu admirava a capacidade de luta dessas pessoas, mas sempre achei que temos de aceitar que quem decide sobre nossa vida é Deus.

Minha mãe foi minha melhor professora na arte da superação. Ela foi sempre um exemplo de luta, mas no final da vida me deu uma aula de sabedoria ao aceitar uma perda. Ela teve câncer. E só Deus e os filhos sabem como lutou contra a doença. As metástases se espalhavam por seu corpo, a dor ia tomando conta dos seus dias, mas nem o sofrimento diminuía sua força para lutar. Até que um dia, enquanto eu aplicava mais uma das inúmeras injeções para aliviar sua dor, ela me olhou com serenidade e falou:

— Seja feita a Sua vontade...

— O quê, mãe? Não entendi... — eu disse.

E ela completou:

— Seja feita a Sua vontade, assim na Terra como no céu. Acho que chegou a hora de eu ir para o outro lado. Acho que Ele me quer perto dele. Meu filho, acho que é hora de parar de lutar e aceitar a minha morte...

Para mim, foi impossível aceitar a morte de minha mãe e comecei a chorar muito. A gente se abraçou forte, enquanto as lágrimas escorriam dos meus olhos. Enxugando meu rosto, ela me disse: "Filho, fique tranqüilo. Eu prometo que vou continuar cuidando de vocês..."

Depois desse momento, ela começou a se preparar e a nós, da família, para sua passagem. Tenho certeza de que continua cuidando de mim e dos meus irmãos, mas demorou muito tempo para eu entender isso.

Durante toda a sua vida, minha mãe sempre me ensinou a lutar intensamente para realizar um sonho, mas, no final, foi ela também que me fez entender que há um momento em que devemos nos entregar e dizer: "Seja feita a Sua vontade, assim na Terra como no céu..."

A partir desse momento, aceitamos que existe uma lógica no universo acima da nossa compreensão. Aceitamos que é melhor deixar o incêndio queimar até o último móvel para então começarmos a construção de uma nova casa.

Afinal, sabedoria também é compreender qual é o momento de parar de lutar como um leão e aceitar a perda. Nesse instante, parece que a mente silencia e o coração se aquieta. Uma sensação de vazio toma conta da gente. E é exatamente esse vazio que você vai preencher com amor. Aceitar os momentos de perda vai ser fundamental para você se preparar para os novos desafios de sua vida.

A SABEDORIA DE RECOMEÇAR

No filme *Agonia e êxtase*, que conta a história de Michelângelo, há uma cena que considero especialmente inspiradora. Ele está pintando o teto da Capela Sistina, o papa entra e pede que pinte mais um anjo. O artista, pacientemente, obedece. Mas no íntimo ele se sente frustrado, pois sabe que seu trabalho não está bom.

Mais tarde, vai a uma taverna beber vinho. Acha o vinho muito ruim, mas aceita bebê-lo mesmo assim. Até que outro freguês grita, chateado, para o taverneiro:

— O seu vinho está uma porcaria!

Ao que o taverneiro responde:

— Impossível. Meu vinho é ótimo. Eu garanto a qualidade do meu vinho.

— Então prove! Venha beber o seu vinho. Ele está um lixo — reage o freguês.

O dono da taverna então bebe e descobre que o vinho está estragado. Ele pega um machado e começa a destruir os barris, gritando muitas vezes:

— Este vinho está uma porcaria!

Michelângelo sai da taverna e volta para a capela. Pega alguns potes de tinta e começa a jogá-los em cima do seu trabalho, gritando:

— Este trabalho está uma porcaria! Este trabalho está uma porcaria!

No dia seguinte, o papa lhe pergunta o que aconteceu. E o artista responde que o trabalho estava um lixo. O papa estranha, mas não diz nada. Bem, o novo resultado toda a humanidade conhece: o teto da Capela Sistina é uma das maiores obras de arte de todos os tempos.

Há situações na vida que não têm conserto. É melhor jogar tudo fora e começar do zero. A gente tenta um remendo aqui, outro lá, mas, apesar de todo o esforço, as coisas só pioram. É aquele texto que não tem conserto, a empresa que não dá certo e tantas outras situações que todos nós vivemos em algum momento da vida.

Nessas horas, é preciso ter a humildade de reconhecer que o trabalho foi perdido. É preciso limpar o coração e partir para um novo projeto. Assim como o grande artista, é preciso reconhecer que o trabalho estava uma porcaria e jogá-lo fora. A partir desse momento, você tira a angústia dos ombros e fica somente com o trabalho.

A SABEDORIA DE APRENDER

Uma das perguntas mais freqüentes que alguém faz a si mesmo é: por que estou enfrentando este problema? Infelizmente, a maioria das pessoas encontra a resposta do modo errado: culpando o outro. A culpa é do chefe, do companheiro, dos pais, do empregado.

Mas o outro nunca é a razão de seus problemas. Se você não aprender com a dificuldade, vai repeti-la ao infinito. Vai trocar de emprego, de companheiro, de empregados, mas, quando perceber, trocou as pessoas e o problema continua o mesmo, e se repete.

Os problemas são oportunidades de aprendizado e, quando perdemos essa lição, toda dor que sentimos se torna inútil. Lembre-se: para todo problema existe solução. Aliás, essa é uma boa definição: problema é um acontecimento que vem sempre acompanhado de solução. Quando você não tiver uma solução, será necessário definir qual é o problema.

Por exemplo: você descobre que não tem dinheiro para pagar as contas. Está bem, não ter dinheiro é um problema, principalmente se os credores estão lhe cobrando e os juros, aumentando. A solução decerto se inicia com o corte de gastos, continua com uma negociação com os credores e alguma ação para ganhar mais dinheiro. No final, extraiu-se um aprendizado de uma situação que parecia ter apenas um lado negativo.

Perceba tudo o que você pode aprender em uma situação assim:

- Aprender a gastar de acordo com seus rendimentos;
- Aprender a ser humilde para negociar com os credores;
- Aprender a ganhar mais.

A solução sempre existe! E, na maior parte das vezes, a pessoa sabe qual é. O difícil é ter a coragem de pô-la em prática. Nunca perca a oportunidade de aprender com uma dificuldade. Aprender em geral é destruir uma visão e construir uma nova perspectiva.

E, principalmente, tenha certeza de que o problema será resolvido. Se você tiver alguma dúvida disso, pense: se você morresse agora, qual seria a evolução do problema? Percebeu? Ele de alguma maneira se resolverá.

A única coisa que não funciona é jogar no outro a responsabilidade por suas dificuldades. O ódio bloqueia a criatividade e só piora as coisas. As pessoas que chamamos de inimigos são os melhores mestres que a vida nos oferece para nos ajudar a aprender as lições que nos farão crescer. Elas nos mantêm acordados para podermos evoluir. Perceba que, depois que você resolve uma dificuldade, fica até agradecido por essa pessoa ter lhe ensinado uma lição.

O médium Luiz Antonio Gasparetto certa vez falou:

"Perdoar é descobrir que você não tem razão nenhuma para perdoar; é apenas viver o aprendizado. Isso só acontece quando você aproveita a oportunidade para crescer".

Se você carrega ódio de alguém, pense na lição que você tem a aprender com esse alguém e sua vida será muito melhor.

Se você tem muitos problemas, pense na lição que você tem a aprender com esses problemas e sua vida será muito melhor.

Aliás, sabe por que você tem tantos problemas? Pela simples razão de estar vivo. Pela simples razão de ter muito ainda por aprender.

Se você está passando por um problema, pode ficar tranqüilo: ele não será o último nem o pior.

"Roberto", você pode perguntar , "vai me acontecer um problema pior do que este pelo qual estou passando?"

Com toda certeza. Você já notou que o problema que estamos enfrentando no momento é sempre o pior? Quando você olha para trás, certamente vê que já teve problemas muito maiores, mas a angústia do momento presente é sempre a pior.

Viver é enfrentar desafios, pois a função da vida é o aprendizado. Eu tenho um jeito de lidar com as dificuldades que me ajuda muito. Quando estou no meio de uma situação difícil, procuro afastar todas aquelas emoções que poderiam me angustiar e digo a mim mesmo: "Roberto, não faça drama! Isso é somente um exame de uma matéria em que você foi reprovado. Estude, se dedique e passe de ano".

Os problemas são matérias que temos de aprender. Mantenha a cabeça tranqüila e procure aprender rápido a lição, para poder passar de ano. Se não aprender a lição, a vida sempre trará os mesmos problemas de volta para que você possa evoluir o mais rápido possível.

E não se esqueça: os problemas são sempre do seu tamanho. Como disse o poeta Adoniran Barbosa, "Deus dá o frio conforme o cobertor". A solução está sempre dentro de você. Analise a situação, peça ajuda a um amigo e concentre sua atenção na solução do problema. Mais cedo ou mais tarde, inevitavelmente, você encontrará a solução. E nesse dia vai descobrir que se tornou um pouquinho melhor como pessoa.

Uma dica fundamental: nunca odeie quem lhe traz o problema. Ele é somente o professor. Resolva a dificuldade e agradeça a essa pessoa pela oportunidade de evoluir.

O mal é como chuva de granizo: faz muito barulho, às vezes machuca, mas passa logo. Já o nosso aprendizado, não. Ele é eterno.

A SABEDORIA DE SER GENEROSO

Errar faz parte da vida. Por mais que sejamos competentes e queiramos acertar sempre, errar é uma característica de quem está no jogo.

Muita gente tem a ilusão de querer sempre acertar. Isso, contudo, é impossível. Veja os discos dos Beatles e dos Rolling Stones. Sou fã deles, mas reconheço que algumas de suas músicas são sofríveis. Nem eles têm uma obra perfeita. Os escultores que admiro eram todos insuportáveis na intimidade. Os médicos que me ensinaram tiveram seus dias de fraqueza. Paciência! Errar faz parte de quem toca, compõe, opera, constrói, advoga, enfim, de quem está realizando um trabalho.

Entenda: você é uma pessoa sensacional, mas é um ser humano. Quando temos a humildade de perceber que somos aprendizes lutando para fazer o melhor, podemos unir uma garra insuperável com uma boa dose de compreensão de nossas fraquezas.

Sempre devemos ter em mente que amanhã vamos ser melhores, porque estamos aprendendo. Mas, apesar de estarmos sempre procurando a perfeição, nunca seremos perfeitos.

Apesar de lutar como um leão para alcançar minha meta, quando as coisas não dão certo como eu gostaria, procuro ter a tranqüilidade de dizer: "Paciência, Roberto, você fez o máximo, mas seu máximo, desta vez, foi pouco. Tenha certeza de que, na próxima vez, vai ser melhor. Agora tome um sorvete, descanse bastante e se prepare que amanhã tem mais".

Quando você fizer uma bobagem, em vez de se culpar, tome um chá, telefone para um amigo alto-astral, desabafe, olhe o sol e deixe a tensão ir embora. Você é uma pessoa honesta e digna, aconteça o que acontecer tenha em mente que você procurou fazer o melhor e que, na próxima vez, vai acertar.

Quando você se tortura, somente piora sua capacidade de analisar o que está acontecendo e joga fora a energia tão necessária para consertar a situação. Independentemente do que lhe acontecer, você tem de ser seu amigo mais importante. Um amigo generoso e compreensivo.

A SABEDORIA DE PERDOAR

As pessoas são seres imperfeitos em busca da perfeição. Nessa busca para fugir da dor e criar prazer para si próprias, elas podem nos ferir sem querer. Como diz Lulu Santos: "Nem sempre é *so easy* viver". Em nossos encontros é inevitável que sejamos machucados e que machuquemos também. Faz parte da essência humana viver todas as nuanças de emoções, mas devemos lutar para não sermos escravos delas.

É muito triste que, nas dificuldades, a gente fique chateado com o mundo. Faz parte da nossa personalidade ter ciúme, inveja, mágoa, ressentimento, mas não podemos deixar que esses sentimentos tomem conta do nosso coração. É triste ver alguém que permitiu que as dores de seus relacionamentos amorosos dominassem seu coração e a transformassem numa pessoa amargurada. Ou observar alguém que, ao notar a evolução do concorrente, deixou a inveja tomar conta de sua alma e drenar a energia que poderia levá-lo a conseguir vitórias.

É fundamental estar sempre de coração limpo. Deixar no passado as mágoas, os ressentimentos e tudo o que nos impede de trabalhar para realizar nossos sonhos.

Procure definir, no seu íntimo, o melhor caminho para sua vida e se mantenha nele. Faça o melhor para você, mesmo que isso indiretamente beneficie as pessoas que você imagina que o magoaram. Perdoar é sempre bom, por maior que seja sua dor.

Por isso, deixe as mágoas no passado. Como disse Jesus Cristo: "Perdoai as nossas ofensas, assim como nós perdoamos a quem nos tem ofendido".

Compreenda que, ao se sentir ofendido, você se prende à pessoa que o magoou em vez de libertá-la. Certo dia, eu conversava com uma amiga cujo marido a abandonou para se casar com outra. Ela me falou de sua dor e de tudo o que planejava fazer para se vingar dele. Eu perguntei:

— O que você quer? Tê-lo de volta ou machucá-lo o máximo possível? É importante perceber que machucá-lo não vai aliviar sua dor nem fazê-lo voltar. Gastar sua energia nessa vingança não vai libertar seu coração para criar o verdadeiro amor para você. Ele poderá até voltar por causa da culpa, mas trará o inferno junto com ele.

As pessoas com baixa auto-estima procuram destruir as que estão felizes. Quando alguém tem inveja de uma pessoa, acaba por considerá-la um obstáculo à sua felicidade.

Aja sempre como um ser especial que reconhece a grandeza que existe em cada um. Destrua o hábito de pensar mal das pessoas e procure concentrar sua atenção nas virtudes delas. E, principalmente, faça sempre o melhor para você, sem pretender magoar as pessoas que você acredita terem lhe causado.

MAIS UM SEGREDO DOS CAMPEÕES: O SUCESSO E O FRACASSO É A DIFERENÇA DE 1 KM POR DIA

Apesar de o mundo organizacional ter a águia como símbolo do sucesso, eu acredito que a estratégia que os campeões de verdade usam é a estratégia da galinha.

O que é isso, Roberto?

Eles colocam em prática aquele ditado que diz: "De grão em grão a galinha enche o papo!"

A maioria das pessoas fica buscando fórmulas mágicas que dêem dinheiro em uma semana. Ou uma nova jogada na internet que crie um bilionário instantaneamente.

Mas o que funciona mesmo é a dedicação diária para obter resultados consistentes. Uma hora de piano por dia, e quando você se dá conta já é um pianista. Uma hora de inglês todos os dias leva a uma excelência lingüística. De nada adianta estudar doze horas por dia apenas alguns dias por semana e depois deixar pra lá; o resultado vai ser medíocre.

Os campeões têm ritmo nos treinos, nos estudos e, principalmente, na forma de trabalhar. O resultado dessa dedicação é o sucesso!

NÃO VENDA A ALMA AO DIABO

Quando nós não escolhemos o que preferimos, estamos vendendo a alma ao diabo. Péssimo negócio!

Na literatura universal há diversas obras que contam essa história. Em seu livro *Fausto*, o escritor alemão Goethe mostra um homem que, desiludido da vida, resolve vender a alma ao demônio em troca da juventude eterna. Thomas Mann, no romance *Dr. Faustus*, mostra um músico que também vende a alma ao demônio, para fazer a mais bela melodia do mundo. O resultado é sempre o mesmo: as pessoas sacrificam o essencial pensando que vão conseguir o que querem. E no final da história percebem que, apesar das conquistas materiais, perderam a essência da vida. Ninguém consegue servir a dois senhores ao mesmo tempo. Quem vive como escravo do dinheiro acaba sendo vítima do demônio. É um desperdício fatal, pois nossa alma não tem preço!

Quando as pessoas começam a ver o desemprego aumentar e tantas empresas quebrar, é natural que se sintam inseguras. Esse panorama exerce grande pressão psicológica e faz muita gente, temendo o fracasso, pensar em abrir mão de seus princípios na luta pela sobrevivência. Bobagem pura.

Quanto maior a velocidade das mudanças, mais inabaláveis devem ser os valores de uma pessoa. Seus princípios devem alimentar cada decisão de sua vida. Claro que dá mais trabalho vencer sendo honesto consigo mesmo, mas você vai sentir muito mais orgulho de si próprio. Os maiores aplausos têm de vir da sua consciência.

Vitória sem escrúpulos não vale a pena. Nossa consciência cobra um preço muito alto quando a contrariamos, e esse preço vem em forma de insônia, mau humor, tristeza...

A vitória é deliciosa, mas só tem sentido quando conquistada dentro das regras do jogo.

Em meu trabalho com atletas de alta performance, deparei com profissionais cujo passe estava avaliado em milhões de dólares, profissionais com contratos milionários. E, em toda a minha orientação para ajudá-los a conquistar títulos e medalhas, sempre insisti na questão ética. Devemos lutar para vencer sempre, mas nunca de qualquer jeito. Quando um atleta ganha uma prova utilizando anabolizantes, quem vence a prova não é ele, mas o anabolizante. Esse atleta não cresce com a conquista, pois sabe que a vitória não foi sua. É uma vitória que destrói a auto-estima.

A mesma coisa acontece com o aluno que cola para passar de ano. Ele vence uma prova, entretanto perde o respeito por si mesmo. É um preço alto.

Vencer é ótimo, mas o mais importante é ter a consciência tranqüila, saber que tudo foi feito com ética. As melhores vitórias são as conquistadas com muito treinamento, estratégia e dedicação. Respeite a si próprio e mantenha a dignidade. Talvez a curto prazo isso possa representar uma derrota, porém a certeza de poder contar consigo próprio criará os fundamentos da conquista de muitas vitórias lá na frente. E, como você bem sabe, chegar ao pódio é difícil, porém muito mais complicado é permanecer nele.

Talvez você esteja pensando: "Mas, Roberto, eu amo o que faço, sou um profissional honesto, só que as coisas não dão certo para mim".

Bem, é importante ter valores fundamentais, respeitar nossa vocação, mas é essencial também desenvolver competências que transformem essa vocação em resultados. A felicidade profissional ocorre quando nossa vocação se soma à nossa competência.

CUIDE DA SUA PAZ INTERIOR

Sucesso atrai sucesso. Mas chega um dia em que não precisamos de mais sucesso para sermos felizes. Do que precisamos então?

De amigos, de um pouco de paz, de sermos amados pelo que somos e de termos tempo para ficar em silêncio, sem fazer nada... Simplesmente curtir a delícia de estarmos vivos.

Muitas pessoas se iludem com o sucesso ao pensarem que ele é o único alimento da vida. Eu espero que você já tenha descoberto que é mais fácil ter sucesso do que ser feliz. O sucesso nos promete muita coisa, porém quando o profissional não consegue se aprimorar ele só alimenta suas ilusões.

Certa vez, um sujeito milionário, mas muito mesquinho, procurou um mestre espiritual e lhe disse:

— Mestre, eu me dedicaria a uma vida espiritual depois que me tornasse rico e poderoso. Se o senhor me ajudar a ter muito dinheiro, começarei minha busca espiritual.

O mestre sabia que isso não daria certo, mas, mesmo assim, pegou uma concha mágica e a deu ao homem, dizendo:

— Esta concha vai realizar todos os seus desejos. Conquiste tudo o que quiser e, quando achar que chegou a hora, venha me procurar.

O homem não perdeu tempo, esfregou a concha e lhe pediu uma fazenda. Em poucos segundos, lá estava ela, uma fazenda linda, com cavalos, bois, galinhas, vacas e um maravilhoso pomar.

Agora ele queria uma loja, uma grande loja, com roupas chiques, que desse bons lucros. Esfregou a concha novamente e, pronto, num piscar de olhos, a loja estava à sua frente.

Não satisfeito, o sujeito pediu dessa vez um palácio. Esfregou a poderosa concha e ganhou um esplendoroso palácio, ornamentado com ouro e prata, repleto de serviçais.

Por mais que realizasse seus desejos, porém, ele ainda não estava feliz. Nada daquilo bastava. Faltava algo. Foi então que, um belo dia, viu um outro velho mestre esfregando uma concha.

Quando o sábio pediu uma fazenda à concha, esta lhe respondeu:

— Não vou lhe dar uma fazenda apenas, vou lhe dar duas.

Entusiasmado com a descoberta, o homem propôs ao mestre que trocassem as conchas:

— Eu vi sua concha e a achei sensacional. A minha é simples. Ela só realiza um desejo uma vez. Por favor, vamos trocar.

O sábio explicou que sua concha era uma brincadeira, mas, ante a insistência do homem, cedeu-a. O sujeito, então, sem esperar nem mais um minuto, pediu uma nova fazenda, e a concha respondeu:

— Eu vou lhe dar duas fazendas.

Mas não apareceu nenhuma fazenda. Então ele pediu:

— Me dê as duas fazendas.

E a concha respondeu:

— Eu lhe darei quatro fazendas.

Mas nenhuma fazenda apareceu. De novo, o homem pediu:

— Então me dê as quatro fazendas.

— Não. Agora resolvi lhe dar oito fazendas.

O sujeito pensou que a concha estivesse louca e decidiu pedir outra coisa. Tentou um palácio, e a concha respondeu:

— Eu lhe darei dois palácios.

Mas o homem não ganhou nada. Tentou de novo e pediu dois palácios. E a concha respondeu que lhe daria quatro palácios, porém nada apareceu. Decepcionado, ele foi ao mestre e disse:

— Não entendo esta concha. Ela promete maravilhas, porém não cumpre nada.

O mestre, calmamente, explicou:

— Ela é assim mesmo: só promete. É como a voracidade, meu amigo; ela promete muitas coisas, mas não proporciona nenhuma. É preciso decidir ser feliz com o que se tem neste momento. A voracidade nos torna insaciáveis e condiciona a felicidade à próxima conquista. Você pode conquistar tudo a que se propôs, mas as vitórias só lhe trarão mais angústias...

A culpa não é de quem promete, mas de quem se ilude.

Dinheiro só traz dinheiro, não traz elegância, cultura e classe.

Poder só traz poder, não traz a verdadeira amizade.

Sucesso só traz sucesso. Amor, paz e segurança não são conseqüências de sucesso, dinheiro e poder.

Se você quiser amor, terá de conquistar amor.

Se você quiser se sentir seguro, não adianta ter mil guarda-costas. Se você for uma pessoa insegura, um bilhão de reais não será suficiente para aplacar seu medo de ficar pobre ou de ser seqüestrado. Somente uma pessoa confiante na vida se sente tranqüila.

Trabalhe para ter bastante dinheiro para viver, mas lute também para conquistar confiança, ser feliz e não se deixar levar pela voracidade.

NUNCA SE ESQUEÇA DE QUE EXISTE ALGUÉM CUIDANDO DE VOCÊ!

Há momentos em que as dificuldades tomam conta da nossa vida: a dor do desemprego, problemas financeiros, casamentos em conflito, pais e filhos em desarmonia, jovens reprovados nos vestibulares. O pior é que algumas vezes tudo isso acontece ao mesmo tempo.

Claro que todos os problemas requerem coragem para ser enfrentados e, sem o comprometimento necessário para resolvê-los, eles aumentam cada vez mais. No entanto, o que realmente mais dói nesses momentos de angústia é a sensação de solidão que consome a paz do indivíduo.

Então, vale lembrar que nunca estamos sozinhos nem abandonados. Existe sempre o amor do nosso Pai a nos amparar na provação. Por isso, no meio dessa correria, reserve algum tempo para orar e sentir que existe alguém que vela por você em todos os momentos.

Minha mãe dizia: "Eu não falo 'Vai com Deus' porque Deus está sempre conosco. É só olhar para dentro de você e sentirá a presença Dele".

Verdade! Lembre-se de que Deus está sempre com você, por mais angustiante que seja a situação pela qual estiver passando. Sentir a presença Dele é o primeiro passo para ser capaz de superar qualquer obstáculo. Ele está sempre conosco, mesmo quando não percebemos sua presença. Portanto, relaxe e confie a Ele sua dor. Você vai descobrir a maravilhosa fonte de energia que vem de seu Amor.

Por mais que tudo pareça sem solução em sua vida, lembre-se de que a saída está bem à sua frente e que você conseguirá vê-la quando sua mente estiver aberta. Enquanto a tensão não se dissipa, olhe para dentro de si mesmo e sinta que existe um Pai amoroso cuidando de você. Sinta sua companhia, seu amor e sua dedicação.

Muita gente imagina que a presença de Deus é sinônimo de uma vida cheia de alegria e vazia de dificuldades. Para essas pessoas, orar é uma espécie de seguro contra os problemas. Mas a função de Deus não é nos dar uma vida de lucros, riquezas e alegrias. Essas pessoas empobrecem Deus sem perceber.

Deus é o companheiro da nossa caminhada. Não é Ele quem cria os nossos dramas nem é Ele quem nos dá as soluções. Ele simplesmente nos acompanha e nos ilumina, mas cabe a cada um de nós percorrer o caminho.

SEJA FELIZ APESAR DE TUDO

O verdadeiro campeão sabe que a vida é feita de vitórias e derrotas. Com as vitórias ele percebe o que fez de correto. Com as derrotas, aprende e evolui.

Quando tudo estiver dando certo em sua vida, não se deixe envolver pelos elogios e saiba que você ainda tem muito a aprender e que, portanto, não é perfeito como os outros vão dizer que é.

Quando tudo der errado, não se deixe envolver pelas críticas e lembre-se de que você não é tão incompetente como os outros vão querer fazer você acreditar.

Aproveite todas as oportunidades para crescer e transforme sua vida numa dádiva de amor. Avance e dê ao mundo a oportunidade de conhecer sua energia. Seja feliz, por favor.

Para concluir, gostaria de ler com você um poema de Madre Teresa de Calcutá que eu adoro e sempre me inspira:

Muitas vezes as pessoas
são egocêntricas, ilógicas e insensatas.
Perdoe-as assim mesmo.

Se você é gentil,
as pessoas podem acusá-lo de interesseiro.
Seja gentil assim mesmo.

Se você é um vencedor,
terá alguns falsos amigos e alguns inimigos verdadeiros.
Vença assim mesmo.

Se você é honesto e franco,
as pessoas podem enganá-lo.
Seja honesto e franco assim mesmo.

O que você levou anos para construir,
alguém pode destruir de uma hora para outra.
Construa assim mesmo.

Se você tem paz e é feliz,
as pessoas podem sentir inveja.
Seja feliz assim mesmo.

O bem que você faz hoje
pode ser esquecido amanhã.
Faça o bem assim mesmo.

Dê ao mundo o melhor de você,
mas isso pode não ser o bastante.
Dê o melhor de você assim mesmo.

Veja você que, no final das contas,
é tudo entre você e Deus.
Nunca foi entre você e os outros.

Construa suas vitórias.

O universo está à sua espera para ser concluído e as estrelas estão prontas para aplaudir suas realizações.

Como sempre, torço muito para você realizar seus sonhos.

Com carinho,

Roberto Shinyashiki

Verão de 2007

AGRADECIMENTOS

Sempre serei grato às pessoas que me ensinaram a amar o trabalho. Felizmente, foram muitas, mas entre tantas duas se destacam:

Minha mãe, trabalhadora incansável, fez de sua vida um contínuo labor e sempre incentivou os filhos a ajudar nas tarefas de casa. Ela nos recompensava generosamente com deliciosas conversas, regadas com um bolo bem gostoso. Para completar a recompensa e nos fazer entender o quanto cada um de nós era importante, ela nos elogiava na frente de suas amigas.

E meu pai, que me levava à sua farmácia desde pequeno, ensinando, com seu exemplo, que trabalhar é um modo prazeroso de ajudar os outros. Naquelas tardes que passamos juntos, vendo-o prestar um serviço profissional o mais perfeito possível àqueles que ali chegavam, aprendi a necessidade de ser atencioso com todos, de cativar os clientes e com eles criar laços de verdadeira amizade. Ainda hoje me lembro da alegria que sentia, por exemplo, ao atender um turista que, vindo a Santos, entrava em nossa farmácia e fazia uma compra imensa de cosméticos. Era essa mesma alegria que eu experimentava quando, aos domingos, saía com meu pai para pescar e conseguia pegar um peixe bem grande. Foi assim que compreendi que a pescaria é uma boa metáfora para o trabalho, o qual precisa ser feito com paciência, esperança e amor.

Olhando para trás, considero que minha iniciação profissional se deu na adolescência, quando passei a tocar numa banda de rock. Certamente esse foi meu primeiro trabalho sem que meus pais estivessem por perto. A banda era formada por uma turma de amigos que se ajudava mutuamente em todos os momentos, o que tornou essa experiência muito gostosa. Embora eu ganhasse apenas o suficiente para as despesas pessoais (nunca vou esquecer a felicidade que senti ao comprar uma guitarra com meu próprio dinheiro), era uma vida tão cheia de música e prazer que, até hoje, só entendo o trabalho como um misto de dedicação, arte e alegria.

Relembrando esses mais de trinta anos de carreira, não posso deixar de mencionar mais algumas pessoas que me auxiliaram em meu desenvolvimento pessoal e profissional. Lembro-me especialmente de meu primeiro chefe, o doutor Célio Gayer, do Departamento de Cirurgia da Santa

Casa de Bragança Paulista. Ele e tantos outros professores e chefes, com suas explicações, orientações, críticas e cobranças, me fizeram deixar de ser mais um no meio da multidão. Obrigado por terem sido duros comigo e terem me ensinado mesmo quando a minha teimosia me impedia de ver outras dimensões além do horizonte.

Um agradecimento especial ao meu amigo José Luiz Tejon, por ter escrito o texto da apresentação e por estar sendo um maravilhoso companheiro de viagem nesta existência.

Agradeço a todos os amigos que leram os originais deste livro e fizeram comentários que serviram de bússola para o aprimoramento do texto. Meus agradecimentos especiais a Rosely S. Boschini, Gilberto Shinyashiki, Anderson Cavalcante, Fernando Lenzi, Zezé Brandão, Joice Malavolta, Cláudia Rondelli, Gilberto Cabeggi, Cynthia Falchet e Denise Casatti, amigos de todas as horas. O apoio de vocês tem sido fundamental para eu realizar minha missão de vida.

Também agradeço aos leitores que me enviam mensagens de todos os tipos e me aquecem o coração. Vocês são minha inspiração. Por favor, continuem escrevendo, continuem dizendo o que pensam, expressando suas opiniões, pois todo o meu trabalho consiste em servir vocês.

E um obrigado especialíssimo à minha esposa, Cláudia, e aos meus filhos, por serem mestres tão criativos na arte de viver.

Bem, quando o assunto é trabalho, muita gente me pergunta qual é o segredo do meu fôlego para tocar tantos projetos ao mesmo tempo. A resposta é a seguinte: uma grande parte provém do prazer de realizar meus sonhos, mas a parte física é responsabilidade do trabalho do meu preparador, José Rubens D'Elia, a quem agradeço por cuidar com muita competência da minha energia física.

Por isso, como faço todos os dias, quero agradecer a Deus por tudo que tenho recebido, especialmente as lições que Ele mesmo vai escrevendo no livro da minha vida. Ele é o Mestre dos Mestres, o princípio e o fim de tudo.

LEITURAS SUGERIDAS

BOSSIDY, Larry; CHARAN, Ram. *Execução: a disciplina para atingir resultados.* Rio de Janeiro: Campus, 2004.

DUTRA, Joel Souza. (org.) *Gestão por competências.* São Paulo: Gente, 2001.

DUTRA, Joel Souza. *Administração de carreiras.* São Paulo: Atlas, 1996.

FLEURY, Maria L. Tereza. (org.) *As pessoas na organização.* São Paulo: Gente, 2002.

FLEURY, Maria L. Tereza. *Gestão estratégica do conhecimento.* São Paulo: Atlas, 2001.

GIBRAN, Kahlil. *O profeta.* Rio de Janeiro: Ediouro, 2001.

HARVARD BUSINESS REVIEW. *Planejamento estratégico.* Rio de Janeiro: Campus, 2002.

MEGIDO, José Luiz Tejon. *O vôo do cisne.* Ed. Revista. São Paulo: Gente, 2004.

MINTZBERG, Henry; AHLSTRAND, Bruce; LAMPEL, Joseph. *Safári de estratégia.* Porto Alegre: Bookman, 2000.

O'DONNEL, Ken. *Valores humanos no trabalho.* São Paulo: Gente, 2006.

PORTER, Michael. *Estratégia competitiva.* Rio de Janeiro: Campus, 2001.

Contatos com o autor

www.shinyashiki.com.br

roberto@institutogente.com.br

Este livro foi impresso pela
Sermograf em papel *offset* 90g.